Cómo hacerse famoso en Internet

Cómo hacerse famoso en Internet

Antonio Ramos Varón

Jean Paul García Morán Maglaya

Rubén Martínez Sánchez

Francisco Martínez Vázquez

Maikel Mayan Alfonso

Jacinto Grijalba González

Carlos Alberto Barbero

Santiago López Bro

Juan Manuel González

Enrique Serrano Aparicio

 Ra-Ma®

La ley prohíbe
fotocopiar este libro

Cómo hacerse famoso en Internet
© Antonio Ramos Varón, Jean Paul García Morán Maglaya, Rubén Martínez Sánchez, Francisco Martínez Vázquez, Maikel Mayan Alfonso, Jacinto Grijalba González, Carlos Alberto Barbero, Santiago López Bro, Juan Manuel González, Enrique Serrano Aparicio
© De la edición Ra-Ma 2010

Editado por:
RA-MA Editorial
Calle Jarama, 3A, Polígono Industrial Igarsa
28860 PARACUELLOS DE JARAMA, Madrid
Teléfono: 91 658 42 80
Fax: 91 662 81 39
Correo electrónico: editorial@ra-ma.com
Internet: www.ra-ma.es y www.ra-ma.com
ISBN: 978-84-7897-977-6
Depósito Legal: M-24.193-2010
Autoedición: Autores
Diseño Portada: Antonio García Tomé
Impresión: Service Point
Impreso en España en mayo de 2010

A todos aquellos que comprenden
el poder de Internet

ÍNDICE

CAPÍTULO 1. REDES SOCIALES EN INTERNET **15**

1.1 INTRODUCCIÓN 15

1.2 LAS REDES SOCIALES EN INTERNET... 17

    1.2.1 ¿Qué es una red social?... 17

    1.2.2 Blogs y la sindicación de noticias 18

    1.2.3 La gente quiere ser parte de una red social 20

    1.2.4 Beneficios y peligros detectados.. 22

    1.2.5 Cómo hacerse famoso en Internet 23

CAPÍTULO 2. YOUTUBE..**27**

2.1 INTRODUCCIÓN 27

    2.1.1 Los orígenes de YouTube 27

    2.1.2 ¿Qué es YouTube? 28

    2.1.3 Streaming de vídeo.. 29

2.2 COMPARTIENDO VÍDEOS EN INTERNET.. 30

2.3 UTILIZANDO YOUTUBE 31

    2.3.1 Cree su cuenta de usuario en YouTube.. 31

    2.3.2 Configurando su canal.. 34

    2.3.3 Configurando su cuenta.. 37

    2.3.4 Subiendo un vídeo a YouTube 42

    2.3.5 Editando un vídeo en YouTube... 44

2.4 PARTICIPANDO EN LA RED SOCIAL... 46

    2.4.1 Comentando y valorando vídeos.. 46

    2.4.2 Actualizando su canal... 47

CAPÍTULO 3. FACEBOOK..**49**

3.1 INTRODUCCIÓN 49

    3.1.1 ¿Qué es Facebook?..50

3.2 CREANDO UN NUEVO PERFIL..51

    3.2.1 Creando su cuenta 51

    3.2.2 Configurando su perfil 55

3.3 NAVEGANDO EN FACEBOOK 58

    3.3.1 Primeros pasos..58

    3.3.2 Página de perfil..61

    3.3.3 Comparta contenidos multimedia 69

    3.3.4 Búsqueda y administración de contactos 72

    3.3.5 Mensajería interna 76

    3.3.6 Chat de Facebook 77

    3.3.7 Grupos 78

3.4 APLICACIONES EN FACEBOOK 80

    3.4.1 Búsqueda e instalación de aplicaciones 82

    3.4.2 Configuración de aplicaciones 83

3.5 CONCLUSIONES 84

CAPÍTULO 4. TUENTI **87**

4.1 INTRODUCCIÓN 87

    4.1.1 Obteniendo fama con Tuenti 87

    4.1.2 Características de Tuenti 88

4.2 GESTIONANDO SU PERFIL..89

    4.2.1 Registre un usuario..90

    4.2.2 Primeros pasos de configuración 92

    4.2.3 La vista de inicio 96

    4.2.4 Mensajería Tuenti..100

    4.2.5 Buscando a gente...101

4.3 GESTIONANDO LA VISTA PÚBLICA 101

    4.3.1 Perfil de usuario 102

4.4 CONSIDERACIONES A TOMAR Y CONCLUSIÓN........................108

CAPÍTULO 5. TWITTER **109**

5.1 INTRODUCCIÓN 109

    5.1.1 ¿Qué es el microblogging?...109

    5.1.2 ¿Qué es Twitter?..110

5.1.3 La comunidad en Twitter 111
5.2 CREANDO SU CUENTA EN TWITTER.. 113
5.2.1 Creación de un nuevo perfil 113
5.2.2 Configuración de cuenta.. 115
5.3 NAVEGANDO EN TWITTER 118
5.3.1 El perfil de usuario 118
5.3.2 Interactuando en la red social.. 120
5.3.3 Reducción de enlaces Web o acortadores de URL 124
5.4 CONCLUSIÓN.. 126

CAPÍTULO 6. HI5..**127**
6.1 INTRODUCCIÓN 127
6.1.1 ¿Qué es hi5? 127
6.2 CREACION DE UNA CUENTA 128
6.2.1 Registro de un usuario.. 128
6.2.2 Creando un avatar animado.. 130
6.2.3 Ajustes de perfil 131
6.3 NAVEGANDO EN HI5 133
6.3.1 Agregando a sus amistades 133
6.3.2 Interactuando en grupos sociales 136
6.3.3 Gestión de álbumes de fotos 141
6.3.4 Aplicaciones de hi5 145
6.4 CONSEJOS SOBRE SEGURIDAD EN HI5 147
6.4.1 Consejos para jóvenes sobre seguridad en la red...................................... 147
6.4.2 Consejos para padres sobre seguridad en la red.. 148
6.5 CONCLUSIONES 149

CAPÍTULO 7. BLOGGER **151**
7.1 INTRODUCCIÓN 151
7.1.1 ¿Qué es un blog? 151
7.1.2 ¿Por qué Blogger? 152
7.2 CREACIÓN DEL BLOG Y PRIMEROS PASOS 153
7.2.1 Registrando un nuevo blog... 153
7.2.2 Primeros pasos de configuración y uso 157
7.2.3 Creación de entradas 160
7.2.4 Insertando una imagen en su entrada 162
7.2.5 Insertando un vídeo en su entrada 163

7.2.6 Revisando las entradas del blog 165
7.3 PERSONALIZACIÓN AVANZADA 166
7.3.1 Opciones de configuración avanzada 166
7.3.2 Configure una nueva plantilla de diseño 170
7.3.3 Configurando los elementos de su página 173
7.4 CONCLUSIÓN 177

CAPÍTULO 8. MYSPACE **179**
8.1 INTRODUCCIÓN 179
8.1.1 ¿Qué es MySpace? 179
8.1.2 Los tipos de cuenta en MySpace 180
8.2 CREACIÓN DE UNA CUENTA Y PRIMEROS PASOS 181
8.2.1 Obtenga su cuenta en MySpace 181
8.2.2 Configurando el perfil de usuario 187
8.2.3 Actualizaciones de estado y humor 191
8.2.4 La página de perfil 192
8.3 NAVEGANDO EN LA RED SOCIAL 194
8.3.1 Manteniendo el contacto con sus amigos 194
8.3.2 Foros de discusión 196
8.3.3 Compartiendo vídeos, imágenes y música en MySpace 197
8.4 PASATIEMPOS DE MYSPACE 201
8.4.1 Perfiles destacados de MySpace 202
8.4.2 Aplicaciones destacadas 204
8.5 CONCLUSIÓN 207

CAPÍTULO 9. FOTOLOG **209**
9.1 INTRODUCCIÓN 209
9.1.1 ¿Qué es Fotolog? 209
9.1.2 ¿Cómo es un fotoblog? 210
9.2 CREACIÓN DE UNA CUENTA Y PRIMEROS PASOS 211
9.2.1 Creando su cuenta de usuario 211
9.2.2 Configurando su perfil 215
9.2.3 Publique una fotografía 217
9.2.4 Elimine una foto de su página 218
9.3 INTERACTUANDO CON LA COMUNIDAD 219
9.3.1 Grupos 219
9.3.2 El libro de visitas 221

9.4 OPCIONES GOLD 221

    9.4.1 Fotolog Star 222

    9.4.2 Gold Camera 223

    9.4.3 Transacciones y Flodos 224

9.5 CONCLUSIÓN..225

CAPÍTULO 10. MENÉAME **227**

10.1 INTRODUCCIÓN 227

    10.1.1 Sindicación Web de noticias 227

    10.1.2 ¿Qué es meneame.net? 227

10.2 CREACION DE UNA CUENTA Y PRIMEROS PASOS....................228

    10.2.1 Registrándose en el portal 228

    10.2.2 Configurando su perfil de usuario 231

    10.2.3 Empiece a menear 232

    10.2.4 Sistema de comentarios 233

10.3 COMPARTIENDO CON LA COMUNIDAD..................................235

    10.3.1 Publique una noticia 235

    10.3.2 Establezca buen karma 239

    10.3.3 Nótame 241

10.4 CONCLUSIONES 243

ÍNDICE ALFABÉTICO...**245**

INTRODUCCIÓN

Muchos nos hemos preguntado alguna vez sobre cómo llegar a ser famosos hoy en día en Internet. Internet nos ha dado la herramienta perfecta, las redes sociales en la red nos pueden hacer famosos. Las redes sociales nos dan la posibilidad de llenar nuestras vidas de nuevos amigos, conocidos que residen en otros países, gente con afinidades con nuestra manera de entender la vida y muy próximos a nuestros gustos. Más todavía nosotros podemos usar todo ese potencial de contactos y conocidos para proyectarnos a nosotros mismos. Muchos usuarios manejan una o varias redes, han aprendido de una manera autodidacta, utilizando opciones que han descubierto o que otros amigos les han comentado pero quizás no estén sacando el máximo partido de sus redes, otros quizás no manejan ninguna y no quieren quedarse atrás en esta nueva revolución y manera de moverse por el mundo. En nuestra experiencia muchos usuarios desearían utilizar de forma rápida muchas de las redes sociales, blogs o noticias colaborativas. Este libro pretende dar una solución rápida al lector, una manera veloz de entrar en las redes sociales más populares y pobladas de usuarios en muchos casos deseosos de conocer a otros usuarios. Se le introducirá de una manera guiada, rápida y con notas importantes sobre cómo cuidar la privacidad de sus datos personales. El estar presente en varias de estas redes, saber interactuar entre ellas, sacar provecho de sus opciones, concretar acciones con los miles de contactos que podemos hacer, puede cambiar nuestras vidas, puede hacernos realmente famosos en Internet.

Capítulo 1

REDES SOCIALES EN INTERNET

1.1 INTRODUCCIÓN

No fue hace mucho tiempo que la gente quedó sorprendida con un concepto muy sencillo; la afirmación de que cualquier persona en este planeta está relacionada con otra en no más de seis grados. La fascinación era tal que hasta comenzó todo un movimiento de culto que se dedicaba a generar las cadenas de conexión entre distintas personas célebres y el actor de Hollywood, Kevin Bacon. Ésta fue una época donde la gente se empezó a concienciar de que tras cualquiera de nosotros, existe una red de personas que se entrelazan entre ellas mismas. La unidad familiar, la sociedad de negocios o su club favorito de deportes, todos ellos ofrecen la oportunidad de conocer a personas nuevas que a su vez le presentarán a otras.

Figura 1.1. ¿Quién está conectado con Kevin Bacon?

De aquella época en los noventa (ya en el milenio pasado), casi veinte años después, hemos despertado en una era entrelazada de señales digitales, ordenadores y una nueva multitud de palabras y modismos que representan la nueva sociedad informatizada. Empezamos con palabras sencillas como *chat* y *foros* para describir el uso novedoso de Internet. En tan solo diez años, hemos incorporado palabras como *Google*, *blog*, *Twitter* o *Facebook* en nuestras conversaciones de día a día. Lo más sorprendente es que hoy día ha madurado el concepto de "seis grados de conexión", con el que no es necesario estar con la duda de cómo se compone nuestra propia cadena de uniones. Uno puede saber exactamente quiénes pertenecen a su propia *red social* al utilizar las plataformas Web que hoy en día ofrece Internet.

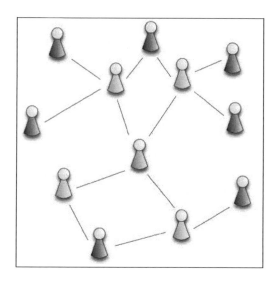

Figura 1.2. Una red social

Muchos de los que lean este libro ya saben cómo utilizar el ordenador perfectamente, es simplemente que quizás en su caso particular se han limitado en los últimos años a entretenerse con aplicaciones más sencillas o que les eran funcionales para su trabajo. A lo mejor usted es un usuario que utilizaba Internet con mayor amplitud, para leer las noticias o escribir en foros, pero mientras que sus amigos conversaban entre ellos con aplicaciones como MSN Messenger, usted se conformaba con poder mandar correos electrónicos para mantenerse comunicado con sus familiares y amistades y utilizar sus aplicaciones de ofimática para fines concretos. Independientemente del caso, no faltan los amigos que ahora le presionan con correos electrónicos que dicen simplemente: "[*Inserte el nombre de un amigo*] le ha agregado como una amistad y le invita a ser su amigo en [*Inserte el nombre de una red social en Internet*]". Ahora siente verdadera curiosidad pero se siente perdido en cuanto a por dónde debe empezar.

Este libro se ofrece a personas que, como muchos, están desconcertadas al no saber cómo se está comunicando la nueva generación que compone este nuevo mundo digital. Quiere ser escritor, y como muchos de sus compañeros ha decidido tener un blog para empezar a tener lectores y exponer sus obras. Sin embargo, tiene el problema de no saber cómo empezar a difundir su página entre posibles lectores potenciales. Puede ser que quiera mantener el contacto con familiares, pero no tiene muy claro cómo utilizar cualquier otra cosa que no sea el correo con Outlook. A lo mejor quiere saber cómo publicitarse y ha escuchado que Internet provee una manera perfecta de llegar a una audiencia amplia y con bajos costes, pero no tiene idea de cómo se componen las distintas redes sociales. Sea cual sea su motivo, su objetivo es el mismo y quiere aprender cómo unirse a una red social en Internet y sacar partido de ella.

Utilice este libro como una guía de introducción al nuevo mundo social. Conozca las posibilidades que hay y motívese a participar en el nuevo mundo Web 2.0. Este libro le presenta una red social distinta en cada capítulo y aunque no abarca todas las posibilidades, sí se representan los portales más utilizados y que generan mucho interés en la actualidad. Cuando haya decidido a qué red social quiere pertenecer, diríjase al capítulo de ese portal y al lado de su ordenador empiece a explorar el portal con este libro como su guía.

1.2 LAS REDES SOCIALES EN INTERNET

Se comienza con una introducción breve a las redes sociales en Internet para empezar a entender cómo funciona la sociedad digital. En el siguiente apartado se describirán los distintos géneros de redes sociales que hay actualmente. Verá que existe una conexión entre plataformas y con un poco de tiempo aprenderá cómo beneficiarse del uso de ellas.

1.2.1 ¿Qué es una red social?

Lo primero que debiera saber es de qué se compone una red social y qué es lo que obtiene a través de su uso. En la mayoría de los casos y en este libro particularmente, se hace referencia a los portales Web que ofrecen servicios de red social. Estos portales Web crean aplicaciones en torno a un perfil público de cada persona que compone la red social. Todos los participantes de esta comunidad, pueden interactuar con el perfil del otro, donde la acción más importante será la de establecer una conexión entre perfil y perfil declarándose uno mismo como amigo, conocido o seguidor del otro. De esta manera crea su red de amigos y familiares y podrá empezar a publicar mensajes, imágenes y/o vídeos para comunicarse con todos a la vez y estar siempre en contacto.

Para aquellos usuarios de Internet que ya hayan participado en los foros de discusión y los canales de chat, el concepto de una red social tal vez no parezca de gran novedad. Efectivamente, ya habrán tenido la experiencia de publicar mensajes y compartir imágenes en foros de Internet. Sin embargo, las comunidades basadas en foros y canales de chat siempre han sido orientadas para enfocar una imagen de grupo y estas comunidades son, en su gran mayoría, compuestas por personas anónimas. Los servicios Web orientados a crear una red social, sin embargo, están centrados en dar atención al individuo y en la gran mayoría de los casos, el anonimato no se permite y viola los términos de uso del portal.

Los servicios orientados a construir una Red Social se pueden enfocar de distintas maneras. En general, a cada usuario se le otorga un espacio personal para poder construir su propio perfil. El perfil puede ser para: publicaciones de artículos, mensajes cortos, colecciones de imágenes y otros materiales intercambiables. Otros usuarios interactúan visitando su perfil y pueden dejar comentarios o agregar otros materiales intercambiables si así lo permite. El perfil lo puede caracterizar de uso personal o profesional, permitiendo que sólo sus amistades puedan interactuar con su perfil o bien permitir que todos puedan saber acerca de su persona y generar interés.

Cada servicio tiene una orientación distinta en cuanto al manejo del servicio y el tipo de audiencia que contiene. El servicio de Blogger, por ejemplo, se orienta a la publicación de artículos de interés para una audiencia que goza de leer composiciones largas de una sola persona. Otros como Twitter, sin embargo, hacen hincapié en poner un límite de caracteres a los mensajes para una audiencia que quiere leer de varias personas en poco tiempo. Luego existen portales como Fotolog que mucha gente utiliza para compartir las fotos que sacan a diario con sus cámaras digitales o dispositivo móvil. Sea cual sea el método de comunicación, todos los portales permiten compartir estos materiales ante una audiencia bajo su control.

1.2.2 Blogs y la sindicación de noticias

El primer gran fenómeno de Internet que empezó a generar parte de lo que conocemos como el mundo Web 2.0, es el uso del *blog*. El *blog* se caracteriza como una página personal donde se escriben comentarios sobre algo en particular o simplemente como un diario on-line. Lo que ayudó mucho a esparcir el uso del *blog*, fue la sindicación o redifusión de noticias, páginas y servicios dedicadas a agregar las diversas fuentes informativas en un solo portal. Este tipo de actividades también permitía a los usuarios votar por sus artículos favoritos, lo que permitía a la comunidad interactuar y generar páginas con contenidos elegidos por ellos mismos.

El mundo de los *blogs* ha evolucionado y madurado mucho en los últimos años. Mientras que existe mucha gente que escribe en él por hobby, hay otros que se profesionalizan y hacen uso del *blog* para escribir en calidad de reportero amateur. Con la aparición de servicios Web orientados al *blog*, desaparece la necesidad de un tercero para publicar los contenidos de un potencial autor. Los servicios Web simplifican el proceso de creación, administración y difusión a unos breves formularios, lo cual es fundamental para un usuario sin conocimientos avanzados en el uso de Internet. Facilita la posibilidad de publicar contenidos dando la posibilidad de tener control sobre el proceso de edición y publicación, siendo flexible para ser usado por tan solo una persona o un equipo de trabajo.

Se necesita, sin embargo, un proceso de difusión. Los artículos publicados en Blogger, se benefician bastante al tener por detrás el poder de Google. La mejor estrategia es tratar de aparecer como resultado en un motor de búsquedas. Junto a diversas recomendaciones y facilidades suministradas por el portal, esto es realizable siempre y cuando haya verdadero interés por parte de personas en leer el *blog*. Al igual que Google agrega titulares de diversos portales en su sección de noticias, existen portales Web que funcionan de la misma manera, con la diferencia de que el contenido es suministrado por los mismos usuarios.

Los sitios Web dedicados a la generación de noticias de manera colaborativa utilizan el poder de las masas de la misma manera que Wikipedia. Los usuarios registrados en el portal pueden aportar contenidos así como votar por las aportaciones de otros. Portales como Digg o Menéame, son populares por contener materiales netamente decididos por sus usuarios. Mientras que contienen elementos de red social, su principal función es dar a conocer la sabiduría de las masas y a la vez, suministrar una herramienta muy efectiva de difusión ante grandes audiencias.

Figura 1.3. Noticias colaborativas en Internet

1.2.3 La gente quiere ser parte de una red social

Hay mucha más gente conectada a Internet hoy en día. Al igual que toda casa o familia compra un televisor, hoy en día es común comprar un ordenador con acceso a Internet. Mucha gente tiene la necesidad de comprar un ordenador portátil y es común que cada casa tenga más de un dispositivo que se pueda conectar a Internet. Esto ha incentivado el desarrollo de múltiples aplicaciones y servicios personalizados a las actividades del usuario y que se adecúan al uso de Internet. El gran éxito de las redes sociales, que enfocan al mismo individuo, radica justamente en los millones de usuarios que se conectan día a día y suministran el contenido que hace que la red social tome vida propia.

El primer servicio Web orientado a las redes sociales fue classmates.com, desarrollada en el año 1995 por Randy Conrado. Tenía como objetivo poner en contacto a antiguos compañeros de escuela y universidad. En 1997 se creó sixdegrees.com, éste enfocándose principalmente en lazos indirectos. Pero no es hasta el siguiente milenio que se populariza el uso de este tipo de servicio, ya que aparecen varias redes sociales como Friendster en el 2002 y que Google trata de comprar en el 2003. Luego aparecen MySpace y LinkedIn un año después de Friendster, dada la gran popularidad que tuvo este primer portal. Ya para el 2005, MySpace se había hecho tan popular, que circulaba la estadística de que había más gente visitando las páginas de MySpace que del mismo gigante Google. Facebook se había lanzado en el 2004 queriendo enfocarse en comunidades internacionales y añadió a su plataforma la posibilidad de integrar aplicaciones de terceros que pudiesen ver y trabajar con las redes sociales creadas en ella. Esta última característica permitía enlazar distintas redes de personas y así Facebook se convirtió en el portal con más crecimiento al no tener límites geográficos. Aun así, siguen apareciendo más redes sociales que junto a la ventaja de ser las últimas novedades, logran ser sitios muy concurridos. En España existe Tuenti, una red social gigantesca que se ha fomentado gracias a la gran comunidad hispana que existe dentro. Obviamente, hay que hacer mención de Twitter, la gran novedad en microblogging que de momento ha tenido un auténtico *boom* en Internet.

Figura 1.4. Las redes sociales crecen en Internet

Las redes sociales han provocado un cambio radical en los hábitos de sus usuarios y la imagen de Internet. En las primeras épocas de Internet, nunca se fomentaba el dar a conocer información real de uno mismo. Los primeros usuarios, inclusive, se cobijaban tras el manto del anonimato, dando pie a frases como "en Internet uno es quien quiera ser". El anonimato era justamente una característica principal de este medio de comunicación y lo que muchos aplaudían y criticaban a la vez. Mientras que el anonimato fomenta la libertad de expresión, algunos se expresaban de maneras desagradables con el resto de la comunidad. Mensajes anónimos puestos en los foros para incitar a peleas, amenazas innecesarias e incluso tendencias más extremas como el intercambio de materiales pedófilos.

El uso de las redes sociales lentamente ha ido cambiando la imagen de Internet. Existen aún los espacios para la gente que desea permanecer anónima, pero más y más y se premia descubrir la identidad de uno mismo. Las redes sociales tienen un efecto totalmente contrario al anonimato, ya que la tendencia actual consiste en dar a conocerse y hacer partícipes a todos los amigos de su red social en sus actividades de día a día. Compartir una foto de algún plato delicioso que haya comido, informar que ha completado el crucigrama del día o simplemente dar a conocer su opinión. Todas estas actividades se pueden compartir para que otros las comenten y así les involucra más en su vida.

El uso de los servicios de red social se vincula más a diario a las vidas de los usuarios. Al igual que puede compartir con el resto de usuarios sus vivencias, a ellos se les permite opinar manteniendo una relación fluida con un amigo al cual ve esporádicamente o que está viviendo en otra parte del mundo. Y es que se ha vuelto fácil el poder compartir directamente desde un dispositivo móvil como su teléfono celular nuestras experiencias. Éste ha sido otro punto crítico en la expansión de las redes sociales y cada vez más portales Web ofrecen la tecnología para la integración de sus servicios con dispositivos móviles. Compartir una imagen en una red social es tan sencillo como sacar un teléfono móvil, realizar la foto y mandar ésta por correo. El móvil está al alcance de todos, y su tamaño ofrece la comodidad de poder actualizar su perfil mientras viaja en el tren, en la mitad de una reunión o cuando está acostado en la playa. Compartir con nuestros congéneres nunca ha sido tan fácil.

1.2.4 Beneficios y peligros detectados

Ciertamente, los beneficios de una red social pueden ser palpables por muchas personas al tener grandes ventajas para la comunicación y el diálogo. Poder encontrar amistades perdidas, mantener el contacto con familiares distantes y poder saber de muchos a la vez son todas ventajas muy claras. Pero no debe olvidar que las redes sociales al igual que Internet también tienen sus peligros, ya que no siempre puede saber quiénes son las personas que están accediendo a la información que comparte ni las consecuencias que lleva publicar imágenes interpretadas inocentemente en un determinado contexto pero pudiendo ser inapropiadas en otro. Internet sigue siendo una plataforma donde deberá tener cautela, no tan solo para uno mismo, sino para los más pequeños que con su inocencia no perciben peligro ante posibles acechos.

Todo tipo de información en ciertas manos puede suponer un verdadero problema para uno mismo o nuestras familias. Estar compartiendo sus actividades en todo momento es algo inocentemente entretenido cuando está al alcance sólo de amigos suyos. Sin embargo, Internet tiende a tener los mismos peligros de la vida real pero de una manera virtual. Fotos de su casa publicadas en Internet y una actualización diaria notificando que estará fuera del país, puede invitar a un posible ladrón a tomar la iniciativa de robar en la casa. Aunque le puede parecer un ejemplo extremo, sí es una situación posible.

En verdad, es un impacto cultural debido a la poca consciencia en general que existe al no percibir físicamente que estamos siendo observados. No se trata de despertar una sensación de paranoia pero sí una de cautela. Una situación mucho más veraz es la publicación de imágenes por parte de estudiantes cuando salen de fiesta. Las imágenes se publican en un contexto de amiguismo y no tratan de ocultar las situaciones más ridículas o impactantes. Entre los amigos, esto puede estar bien. Sin embargo, al graduarse de sus estudios los posibles empleadores primero revisan el historial de la persona mediante búsquedas en sitios de redes sociales. Esas fotos que fueron interpretadas como inocentes en su época, ahora son vistas para denotar una falta de seriedad en el perfil del candidato.

Las redes sociales son muy convenientes además de ser realmente divertidas. No deje de entusiasmarse por querer usarlas, pero es muy importante siempre el tener cautela al publicar sus actividades y sobre todo prestar especial atención con quién comparte su información. A lo largo de este libro se comentan opciones de configuración de relevancia "para su privacidad" que puede encontrar en cada servicio Web. Cada portal ofrece mecanismos para prevenir el compartir con gente indeseada y minimizar riesgos para su persona. Es importante que tome su tiempo en repasar estas opciones para no lamentarse en el futuro.

1.2.5 Cómo hacerse famoso en Internet

Este libro le suministra la información necesaria para empezar a crear una plataforma en Internet, su plataforma. Cada servicio Web presentado en este libro tiene como meta suministrar las herramientas necesarias para crear su propia red social y cada portal tiene una orientación distinta y una audiencia particular. Dependiendo del uso que haga de Internet a diario, puede decidir tomarse en serio la meta de obtener una gran audiencia por un tema profesional o bien tan solo por el afán de querer tener fama, de ser famoso en Internet. Si éste es su caso, el único secreto para obtener fama es la dedicación que ponga a su perfil público y el esfuerzo que haga en sincronizar contenidos entre los diversos portales Web.

Lo primero a comprender, para el perfil profesional que desea aprender mediante el uso de este libro, es que tendrá que construir un propio *blog* que será el centro de su universo. La meta será poder atraer la cantidad más grande de gente posible para que visiten su página Web. Hable de temas interesantes y sea persuasivo en sus argumentos en el momento de escribir artículos. El tema del *blog* simplemente debe ser algo sobre lo que le interese escribir. Al final del día, no son los temas lo que aburre, es uno mismo quien no hace el esfuerzo necesario en ser interesante.

Existen varias estrategias para difundir un *blog*, pero el uso efectivo de las redes sociales es el que suministra mayores ventajas. La razón de esto es simple, cada portal orientado a redes sociales le ofrece la posibilidad de alcanzar una cantidad determinada de audiencia. Las redes sociales le permiten establecer un canal directo a sus lectores y fans, pudiendo saber sus intereses y sus críticas de manera directa. Los portales de red social suministran métodos de integración con otras redes sociales, y es ahí donde deberá empezar a hacer más hincapié. Cada red social que empiece a dominar e integrar con otra es una puerta a una audiencia distinta que puede agregar al total de sus seguidores. La capacidad de integrar es importante por el solo hecho de poder sincronizar mensajes entre varios portales con tan solo un clic, lo que reduce esfuerzo para una mayor ganancia. A continuación, algunos puntos a seguir y tener en mente mientras construye su plataforma en Internet:

1. **Publicite su nombre o nick, páginas Web, sus URL y cualquier otra dirección en Internet en todas partes y lo más frecuentemente posible**. Aquí deberá estar atento. Tómese su tiempo en responder los comentarios que le hagan. Lo más importante es siempre estar atento respondiendo a las personas y hacerles saber que está ahí siempre listo para interactuar. Ningún portal Web puede lograr la fama con tan solo una hora al día de trabajo. Debe demostrar que su presencia es constante en Internet.

2. **Construya un sitio en la red con personalidad y actividad si desea tener varios fans**. Lo más importante es que la gente sepa que hay alguien detrás del portal todos los días. Procure actualizar todos los días y procure recordar que si no es algo de interés, los visitantes simplemente se dirigirán a la siguiente página Web.

3. **Hay grandes beneficios al ofrecer vídeo y audio en su red social Web**. Si quiere ofrecer un portal que sea rico en contenido, debe poder ofrecer contenido multimedia. Los portales más exitosos ofrecen *streaming* de vídeos y audio además de muchas imágenes. Lo más seguro es que deba desembolsar algo de dinero para lograr algo vistoso en sus vídeos, piense que vale la pena. Recuerde que una imagen vale más que mil palabras.

4. **Lo más importante es tener presencia en todos los portales Web que pueda con servicios de red social**. Esto es indispensable. Empiece primero involucrando a sus amigos y lentamente vaya consiguiendo seguidores en las diversas plataformas Web. Cada vez que publique

contenido, tiene la garantía de que éste será visto en la página de inicio de su seguidor. Es un recurso gratis, aproveche que existe.

5. **Profundice en el uso de su ordenador**. Ésta es la parte que vendrá más adelante, cuando descubra la cantidad de posibilidades que le brindan las redes sociales en la red. Según crezca su posicionamiento en Internet comprenderá que es importante aprender algo de HTML y CSS. Códigos para portales Web que son muy útiles en el momento de personalizar sitios con carácter muy profesional. Un día podrá dirigirse al televisor y cambiar entre redes sociales como si se tratasen de canales. Prepárese para ese día en que la televisión se fusione con Internet.

Utilice estos puntos como guía mientras explora el uso de las diversas plataformas sociales Web mostradas en este libro. Lo más importante siempre será su paciencia y dedicación. Es trabajo duro establecer su presencia en Internet y en muchas ocasiones, involucra tener suerte. Habiendo dicho eso, no debe desalentarse si al comienzo no obtiene resultados claros. Esto toma algo de tiempo, pero si la gente responde bien ante lo que quiere compartir, ellos mismos se encargarán de esparcir la voz. Ante todo trabajo y esfuerzo, lo más importante es tratar de divertirse y sentirse a gusto con lo que está realizando.

Capítulo 2

YOUTUBE

2.1 INTRODUCCIÓN

El portal de YouTube ha sido uno de los éxitos más grandes en los últimos años. Al igual que la radio o la televisión, YouTube ha dejado una gran impresión en la cultura de hoy día. En este capítulo, el lector creará una cuenta propia y así podrá iniciar el uso de este servicio. Aprenderá qué es el *streaming* y los pasos básicos para subir sus propios vídeos y configurarlos para que otros los puedan encontrar más fácilmente. Aprenderá qué es un canal y el uso apropiado de éste para alcanzar mayor audiencia. Al final del todo, se hablará de la misma comunidad del portal y cómo participar en ella. Continúe leyendo este capítulo y aprenda los primeros pasos de cómo ser famoso en Internet.

2.1.1 Los orígenes de YouTube

El portal de YouTube debe su creación a tres antiguos empleados de la empresa de pagos electrónicos PayPal: Chad Hurley, Steve Chen y Jawed Karim. De hecho, la idea original de YouTube surgió cuando ellos eran aún empleados de esta compañía, Chen y Karim siendo los ingenieros y Hurley el diseñador. Circulan por Internet muchos rumores de cómo surgió la idea de desarrollar YouTube, algunos apuntan que la idea de YouTube surgió por la necesidad de compartir vídeos de una fiesta a la que Hurley, Chen y Karim habían asistido en San

Francisco. Otros apuntan a que la idea original de YouTube se basaba en la creación de un portal de citas en Internet donde los usuarios podían enviar un vídeo presentación de sí mismos para que otros usuarios los pudieran ver y ponerse en contacto con ellos.

En cualquier caso, fuera cual fuera su origen, YouTube Inc. fue fundada oficialmente por Chad Hurley, Steve Chen y Jawed Karim en febrero de 2005 en San Bruno, California. El dominio *youtube.com* fue dado de alta el 15 de febrero de 2005, y el 23 de abril del mismo año el primer vídeo fue subido con éxito. El vídeo se llama *Me at the Zoo* (*Yo en el Zoológico*).

Rápidamente creció el número de usuarios y descargas saltando a cifras espectaculares (en la actualidad, YouTube sirve aproximadamente unos cien millones de vídeos diarios y la cifra de visitantes supera los veinte millones). Los usuarios de YouTube empezaron a alojar vídeos de todo tipo y contenido, con lo que la idea original que dio lugar a YouTube quedó en el olvido. El uso de YouTube se empezaba a extender como la pólvora y la gente comenzó a incluir enlaces de YouTube en sus blogs, portales de redes sociales (como MySpace y Twitter) y prácticamente en cuestión de un año, el portal ya era tan popular como el motor de búsqueda de Google. Tal fue su éxito que en noviembre de 2006, Google Inc. adquirió YouTube LLC por 1.650 millones de dólares. Actualmente YouTube LLC opera como una filial de Google.

2.1.2 ¿Qué es YouTube?

Aunque la mayoría de la gente más o menos sabe lo que es YouTube y alguna vez ha visitado la página, lo cierto es que pocos saben qué significa YouTube. La palabra YouTube es el resultado de unir las palabras del inglés "You", que significa tú y "Tube" que significa tubo (en EE.UU., tubo es la manera coloquial de referirse a la televisión, por las antiguas televisiones de tubos de rayos catódicos). Así que coloquialmente hablando, YouTube es un juego de palabras que significa literalmente "televisión de ti" o menos literalmente "tu televisión", haciendo alusión a una televisión de contenidos aportados por los usuarios.

Esencialmente, YouTube es un portal en Internet que ofrece un servicio gratuito para compartir vídeos. Usa un reproductor basado en tecnologías de Adobe Flash para proveer el contenido de los vídeos. La gran popularidad adquirida por YouTube se debe en gran parte al hecho de que los usuarios pueden visualizar los vídeos sin tener que instalar ningún software externo adicional (excepto los *plugins* o extensiones de Adobe Flash para su navegador Web), así como a la posibilidad de almacenar vídeos personales en multitud de formatos (como .mpeg o .avi) de forma sencilla. En YouTube se puede encontrar una diversidad enorme de contenidos, desde cortos de películas a anuncios televisivos y hasta blogs en vídeo.

Como se ha mencionado anteriormente, YouTube usa la tecnología de Adobe Flash para suministrar los vídeos. Adobe Flash (anteriormente llamado Macromedia Flash) o *flash* es una aplicación cuya función principal es realizar animaciones por medio de imágenes estáticas, esto es, secuenciar una imagen tras otra simulando de esta manera el movimiento. *Flash* también añade otras características tales como sonido (normalmente almacenado en formato MP3) y la capacidad de añadir guiones de visualización con *Action Script.* Existe tanto el formato de vídeo *flash* como el reproductor *flash player*.

Los archivos en formato *flash* normalmente tienen la extensión de archivos SWF o más recientemente FLV. Pueden estar incrustados en una página Web para que dichas animaciones sean reproducidas en el navegador o bien con un reproductor de vídeo *flash* externo. Para reproducir externamente, existen alternativas de aplicaciones libres y con ofrecimiento gratuito como *VLC (VideoLan Media Player)*. *VLC* es un reproductor que admite multitud de formatos, entre ellos SWF y FLV. Pueden descargar esta herramienta sin coste alguno de su portal Web *www.videolan.org*.

YouTube es capaz de admitir diferentes formatos de vídeo, haciendo así más sencilla al usuario la tarea de alojar vídeos en el portal. Aunque una vez enviados, YouTube transforma todos los ficheros subidos a formato *flash* para ser distribuidos y evitar las copias no autorizadas de los vídeos. A pesar de todas estas medidas de seguridad, existe una infinidad de aplicaciones que permiten descargar vídeos de YouTube evitando las restricciones del portal.

YouTube incluye otras funcionalidades que suministran una mejor experiencia al usuario. Contiene un buscador de vídeos con criterios de búsquedas avanzadas y un sistema de estadísticas para el seguimiento de vídeos, para aquéllos que manejan multitudes de vídeos a la vez. Para los usuarios casuales, se suministra un sistema de comentarios y votaciones que ofrece la oportunidad de participar de forma activa en el portal sin necesariamente tener que compartir vídeos. Para los padres también se suministran sistemas de control como la restricción de contenidos para menores. Éstas y otras características más las iremos explorando a lo largo de este capítulo.

2.1.3 Streaming de vídeo

YouTube y portales similares son posibles gracias a una técnica denominada *streaming*. Esta palabra proviene del término en inglés *stream*, que significa torrente o corriente. Por tanto la palabra *streaming* hace referencia a la transmisión de datos mediante Internet. Utilizando la tecnología digital, YouTube es una muestra de cómo Internet va lentamente ofreciendo una alternativa a métodos tradicionales de difusión como la televisión.

Antes de que empezara el uso masivo de la tecnología *streaming*, era más común dejar colgado un enlace Web a un fichero de vídeo MPEG o DIVX. Pero éstos normalmente requieren un reproductor externo que pueda leer el formato del vídeo. Además, los usuarios podían esperar durante horas antes de visualizar los contenidos o escuchar la música que cuelga del portal. Tecnologías hechas para *streaming,* como el formato *flash*, trabajan en comprimir el vídeo para que éstos sean más rápidos de descargar. También permite visualizar y escuchar el contenido al mismo tiempo que éste se va descargando, eliminando la necesidad de descargar el fichero completamente antes de reproducirlo.

2.2 COMPARTIENDO VÍDEOS EN INTERNET

La gran aceptación de YouTube entre la gente ha sido abrumadora. Nadie se esperaba una progresión de crecimiento tan rápida. De hecho, ha crecido tanto que uno de los problemas de la compañía es dar el soporte informático a la plataforma que día a día suministra sus contenidos a los millones de visitantes, además de la espectacular tarea de almacenar toda esa cantidad de información.

A pesar de todo, el hecho es que YouTube arrasa en Internet. Cualquiera puede subir un vídeo a Internet y luego compartirlo alojándolo en su propia página Web, enlazarlo en su *blog* o simplemente enviar el enlace por correo electrónico para compartir con los compañeros de trabajo o de escuela. Todo ello sin tener que contratar planes muy caros de *hosting* al no tener que almacenar el fichero en sí. YouTube se encarga de esto, y lo mejor de todo, sin coste alguno para los usuarios. Estas características han incentivado a gente a subir vídeos de todo tipo, desde diarios personales a instrucciones para el bricolaje en casa, desde noticias internacionales a notas de humor. Algunos de éstos han tenido una explosión virulenta de fama como los vídeos de Matt Harding, en los que aparecía realizando un curioso baile en diferentes partes del mundo. Hasta los mismos medios televisivos lo mostraban comentando la curiosidad que se había esparcido mediante Internet.

Las empresas tampoco han desperdiciado el potencial de YouTube, utilizando el portal para campañas de marketing viral, técnicas que tratan de utilizar redes sociales y otros medios electrónicos para incrementar el reconocimiento de sus marcas y logos. YouTube, adecuado ahora con la tecnología de Google, busca maneras de rentabilizar este tipo de campañas añadiendo mensajes publicitarios no sólo en los alrededores de su portal, pero facilitando su inclusión dentro de los mismos vídeos.

Todos se preguntan: ¿cuál es la clave del éxito de YouTube? La gran aceptación que ha tenido frente a otros portales que también ofrecen contenidos con *streaming* deberá tener alguna explicación. No hay alguna en concreto que se pueda dar, lamentablemente. Quizás la clave sea el hecho de que comparten el contenido sin necesidad de tener que registrarse, o que su plataforma facilita subir los vídeos sin mucha complicación. La verdad es que es el conjunto de características lo que mejora la experiencia del usuario. Independientemente de cualquier otra característica que se pueda galardonar, YouTube debe su éxito principalmente a su capacidad de innovar en este nuevo mundo digital.

2.3 UTILIZANDO YOUTUBE

En los siguientes apartados el lector aprenderá paso a paso a crear una cuenta en YouTube para hacer uso de la plataforma. Aprenderá a configurar su perfil y enlazar contenidos con otras redes sociales como Facebook. Al final de este capítulo, habrá aprendido sobre diversas funcionalidades de YouTube como subir vídeos y crear canales.

2.3.1 Cree su cuenta de usuario en YouTube

Lo primero que debe hacer es conectarse a Internet e iniciar su navegador Web favorito. Diríjase al portal de YouTube *http://www.youtube.com*. Aunque se encuentra en un dominio internacional, YouTube automáticamente detecta desde dónde se realiza la conexión y enlaza con el portal asociado al lenguaje correspondiente.

Figura 2.1. El portal de YouTube

En la esquina superior derecha encontrará las opciones de **Crear cuenta** o **Acceder**. Seleccione **Crear cuenta** y aparecerá el siguiente formulario en el navegador:

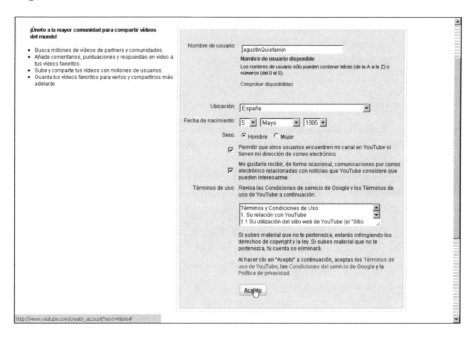

Figura 2.2. Rellene el formulario con sus datos personales

Deberá completar el formulario rellenando los siguientes campos obligatorios:

- **Nombre de usuario**: incluye la capacidad de verificar si el nombre elegido está disponible o por el contrario ya está siendo usado por otro, además de verificar que el nombre solicitado no contiene caracteres que no sean letras o números. Basta con hacer clic sobre el enlace **Comprobar disponibilidad** para verificar que el nombre introducido está disponible.

- **Ubicación**: para orientar mejor el contenido ofrecido según localización.

- **Fecha de nacimiento**: para confirmar que es mayor de 14 años y poder registrarse al servicio.

- **Sexo**: un dato para su perfil.

Además de esto, YouTube le preguntará si desea que otros usuarios puedan encontrar su canal utilizando el correo electrónico que estará asociado a su cuenta de YouTube, esta opción ya viene marcada por defecto para mayor comodidad aunque es posible desmarcarla. También aparece una segunda opción para que el usuario decida si quiere recibir información y noticias acerca de YouTube. No es necesario, pero si le preocupa estar informado de los cambios en políticas de uso y privacidad, es recomendable seleccionar esta última opción. Por último, se muestra un cuadro de texto con las condiciones de uso del servicio (las cuales deberían leer todos los usuarios que creen una nueva cuenta) y avisa al nuevo usuario que YouTube podrá proceder a la eliminación de las cuentas que cometan infracciones compartiendo contenidos protegidos con derechos de autor o copyright.

Completado el formulario, YouTube le solicita asociar la nueva cuenta con una cuenta de correo de Google. Todos los servicios de Google funcionan de esta manera para facilitar una autenticación única a los diversos portales bajo el umbral de este gigante del software. Le presenta dos opciones:

- El usuario ya dispone de una cuenta de correo en Google y desea asociarla a la nueva cuenta de YouTube que está creando.

- El usuario no dispone de una cuenta de correo con Google (Gmail) para asociar a la cuenta de YouTube. En este caso, YouTube ofrece la posibilidad de crear de forma automática una nueva cuenta de correo de Gmail para asociarla a la nueva cuenta de YouTube.

En el proceso de registro del ejemplo, se ha optado por la primera opción de asociar una cuenta ya creada. Basta con completar los campos de usuario y contraseña de la cuenta de Google y presionar el botón de **Acceder**. La segunda opción de registrar una cuenta de correo con Google, queda fuera del alcance de este capítulo, aunque es un proceso que se destaca por su facilidad.

Completados estos pasos, el usuario ya habrá conseguido crear con éxito su nueva cuenta en YouTube asociada a la cuenta de Google indicada en el proceso de registro. En el caso del ejemplo de este libro, el usuario Agustín Quiefamín completó todo el proceso de registro de forma exitosa con el nombre de usuario en YouTube *AgustinQuiefamin* asociado a su cuenta de correo de Google *agustin.quiefamin@gmail.com*. Automáticamente, al registrar una nueva cuenta en YouTube, se crea un canal con el mismo nombre de usuario que se eligió. En el caso de ejemplo, se creó un canal con el nombre **AgustinQuiefamin**.

Figura 2.3. La cuenta ha sido creada con éxito

2.3.2 Configurando su canal

Un canal no es más que un espacio en YouTube en el que aparecen vídeos seleccionados por el dueño del mismo. Es el homólogo de una página personal o *blog* incluyendo una URL propia parecida a *http://www.youtube.es/**nombreDeSuCuenta***. En el caso del usuario, Agustín Quiefamín, la URL es *http://www.youtube.es/AgustinQuiefamin* y la temática de su canal serán vídeos personales para hacerse famoso en Internet. En YouTube el lector podrá encontrar canales de otros usuarios, canales de cadenas de televisión, informativos, de deportes y otras muchas categorías.

Si acaba de crear su cuenta y se encuentra en la pantalla de resumen de la nueva cuenta registrada haga clic en el enlace **Personalizar la página de canal** y el navegador mostrará la pantalla de bienvenida y configuración de usuario. Si no está en esta pantalla de resumen, en la esquina superior de la derecha del portal se despliega un menú de opciones. De este menú seleccione **Cuenta**. En la pantalla de configuración de cuenta, haga clic en el enlace **Editar canal** y dentro de esta sección seleccione la opción **Diseño de canal** o **Ver tu canal público**.

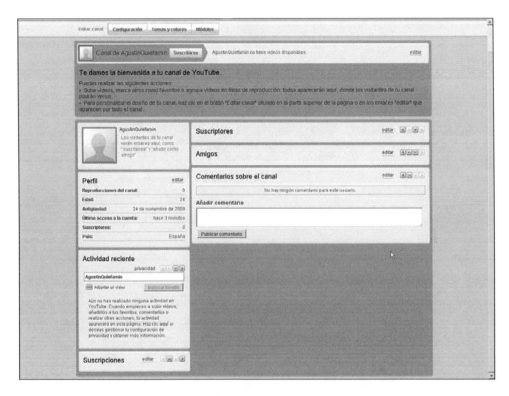

Figura 2.4. El canal personal del usuario

En esta pantalla se visualiza la organización y aspecto que tendrá el canal ante el público. Puede cambiar la ubicación y el orden de los paneles además de editar su comportamiento. Cada panel contiene botones con flechas y basta con hacer clic en el sentido que quiere mover el panel. Estos paneles contienen información acerca del canal y su actividad. La opción de editar sirve normalmente para configurar cuántas entradas o registros se muestran por defecto dentro del panel, como por ejemplo el límite de amigos que se muestran para no ocupar demasiado espacio.

Además de esto, debiera poder acceder a tres pestañas en la barra de menú principal. Éstas son tres opciones que le permiten editar el canal de diversas maneras:

- **Configuración**: se accede a la configuración de los datos del canal, entre los que hay que destacar el título del mismo y las etiquetas que clasifican el canal. Estos datos son los que se utilizarán en el momento de mejorar su posicionamiento en motores de búsqueda. Es importante para un usuario dar con las palabras clave más representativas del canal.

- **Temas y colores**: aquí se puede configurar la apariencia del canal seleccionando entre diferentes temas y colores para dar un toque personal. Para los usuarios avanzados, se permite crear un nuevo tema y personalizar los colores de cada elemento en el canal.

- **Módulos**: aquí se podrán añadir y configurar paneles adicionales de información que aparecerán en la página del canal. También puede deseleccionar algunos de éstos si desea simplificar el aspecto.

Figura 2.5. Configurando el canal

Tómese el tiempo necesario para diseñar su canal, recordando de vez en cuando guardar los cambios en el sistema. En cada pestaña de configuración aparecerá el botón **Guardar cambios**. Una vez retocado el canal, el siguiente paso será configurar opciones de la cuenta misma. Diríjase al menú desplegable de su usuario (en el caso de nuestro ejemplo **AgustinQuiefamin)** situado en la esquina superior a la derecha de la plataforma y desplegando seleccione la opción **Cuenta**.

2.3.3 Configurando su cuenta

Dentro de la sección de **Configuración de cuenta**, aparecerá inicialmente en la sección de descripción general de su cuenta. A la izquierda se encontrará el menú con las varias y diferentes opciones de configuración para su cuenta. Aproveche esta sección del capítulo como una ayuda para configurar su cuenta recién creada. A continuación se describirán brevemente algunas de las opciones a las que puede acceder.

Descripción general

Esta sección de las opciones de configuración le muestra estadísticas generales del uso de su cuenta. Cuántos vídeos ha subido al canal, la cantidad de gente que se ha suscrito a ella o cuántas veces se han reproducido sus vídeos. Números que son de interés si quiere mantener un seguimiento de cómo de famoso o conocido es en Internet. Para informes más detallados, existe el enlace **Insight**. Muestra gráficos de las diversas visitas y hasta información demográfica para mejorar el perfil de la audiencia.

Además de dar informes, tiene más opciones de organización personal. Las opciones bajo **Mis vídeos** organizan todo lo referente a los contenidos explorados dentro de YouTube. Puede almacenar los vídeos que más le gustan, administrar las suscripciones que tiene o consultar el historial de vídeos que ha visto últimamente. Los enlaces bajo **Mi red** se utilizan en gran parte para administrar los comentarios realizados en otros canales o para mantener seguimiento de comentarios del canal de uno mismo. Cualquier otra opción miscelánea aparece categorizada en la columna de **Más**.

Configuración de perfil

En esta sección se editará el perfil del usuario para compartir con otros su información personal. Podrá añadir una breve descripción de sí mismo, cambiar su imagen de avatar y compartir sus intereses.

Nota: recuerde que está a punto de compartir información con el resto del mundo. Mientras que es divertido compartir los intereses personales, tenga cuidado con datos íntimos y personales que no quiera ver **esparcidos** por Internet. A algunos empleadores, por ejemplo, no les gustaría encontrar el nombre de su empresa relacionada a un canal de vídeos que incentiva un sentimiento anticorporativo, o peor aún recomiendan productos de terceros.

Figura 2.6. Configurando el perfil de usuario

Cualquier cambio realizado no se guarda inmediatamente, presione sobre el botón de **Guardar cambios** para reflejar éstos en el portal. En la figura mostrada se muestra un cambio del perfil del usuario Agustín Quiefamín. Se ha cambiado la imagen de avatar y se avisa que el cambio tomará lugar en unas horas más.

Personalizar la página principal

Esta sección se refiere a la página que el usuario visualiza cada vez que inicia sesión con su cuenta. Es decir, el aspecto por defecto de YouTube para la cuenta configurada. Con esta opción, el usuario tiene la capacidad de escoger qué elementos se muestran en su página de inicio. Dependiendo de cómo de llena quiera su página inicial, cada selección que usted haga en este punto agregará otro panel más a visualizar. Hay paneles interesantes como los vídeos **Más populares** y otros que tal vez le gustaría quitar como **Vídeos del momento**.

Configuración de reproducción

Aquí se configuran los parámetros de calidad para la reproducción de los vídeos en YouTube. Estas opciones son útiles cuando no se dispone de un acceso a Internet con un buen ancho de banda, por eso, en la mayoría de los casos será suficiente dejar las opciones que aparecen por defecto. En este caso la opción que aparece marcada es la de seleccionar la calidad de los vídeos en función del ancho de banda disponible.

También se ofrece la opción de mostrar u ocultar anotaciones hechas en los vídeos. Se refiere a los comentarios que agregan usuarios dentro de sus vídeos. Esta opción está marcada por defecto.

Figura 2.7. Configuración de reproducción

Opciones de correo electrónico

En esta sección se ofrece la posibilidad de modificar la cuenta de correo electrónico asociada a la cuenta de YouTube. Mientras que no permite asociar la cuenta a un correo externo a Google, puede optar por cambiar la cuenta a otra que pueda tener con el servicio Gmail. Si no quiere sobrecargar demasiado su sistema de correo, puede desmarcar los eventos para los cuales se envían notificaciones.

Privacidad

En esta opción "deberá tener un poco más de cautela". Aquí puede configurar las restricciones de su canal. Recuerde que al igual que otras redes sociales, el servicio YouTube, por defecto, comparte todo. Su canal puede ser accedido por cualquier otro usuario del portal. Sí puede, sin embargo, controlar quién participa en su canal y activar algunas otras opciones que protegen su privacidad. En la categoría de **Restricciones de contacto y búsqueda** existen las siguientes opciones:

- **Permitir sólo a los amigos enviar mensajes o compartir vídeos**: esta opción hará que sólo las cuentas de YouTube declaradas como amigas puedan compartir vídeos en su canal y además puedan escribir comentarios a los vídeos que haya subido a su página de canal. Evidentemente esta opción es muy restrictiva y por tanto aporta privacidad a la cuenta, aunque esto suponga que la actividad en el canal será mínima, puesto que sólo los amigos tendrán la posibilidad de comentar y compartir vídeos.

- **Permitir que otros usuarios encuentren mi canal en YouTube si tienen mi dirección de correo electrónico**: al igual que en otras redes sociales y con su previa autorización, YouTube cuenta con la capacidad de entrar en los servicios de correo y otras redes sociales para listar las diversas cuentas que posee en sus contactos. Éstos se comparan con los usuarios existentes en YouTube y le muestra quiénes de sus contactos tienen una cuenta de YouTube creada y podrá visitar su canal. En el momento de escribir este libro, YouTube puede encontrar a la gente usuaria de los servicios Gmail, Yahoo! y Facebook. No elija esta opción si no quiere ser encontrado de esta manera.

También puede optar por ser o no partícipe del análisis de sus intereses para orientar mejor los anuncios de venta. Esta última opción pone los nervios de punta a algunos al ser continuamente observados, pero los anuncios aparecerán lo quiera o no. Eligiendo esta última opción por lo menos la publicidad será relevante y ocasionalmente interesante. Por último, puede optarn por mostrar las estadísticas recopiladas de su canal al mundo o bien hacer que estos datos sean privados y se muestren sólo para uno mismo.

Figura 2.8. Opciones de privacidad en YouTube

Uso compartido

Aquí podrá configurar los *feeds* de actividad y en qué ámbitos desea que aparezcan. El término *feed* hace referencia a todas las acciones que el usuario realiza dentro de YouTube, asimilandose a una bitácora. Éstas pueden ser acciones como subir un vídeo a YouTube o marcar éste como favorito. Estas actividades son después compartidas con los otros usuarios en YouTube para hacerles saber qué hacemos.

Desde este panel, el usuario puede definir qué acciones quiere que queden reflejadas en su *feed* de actividad, así como decidir si otros usuarios tendrán acceso a estos registros. Los permisos se definen entre dos opciones mutuamente excluyentes:

- **Sí, permitir que otros usuarios vean una parte específica de mis actividades**: con esta opción marcada se permite a todos los usuarios que visiten el canal visualizar el *feed* de actividades que el usuario haya configurado que se pueden registrar.

- **No, no permitir que otros usuarios vean mis actividades**: esta opción es justamente lo contrario que la anterior. Seleccionándola, el usuario hará que los registros de actividad sean sólo visibles para él mismo, por tanto, si el usuario quiere pasar desapercibido, esta sería la opción más apropiada.

Actualmente, YouTube, también permite enlazar estos registros de actividad con otros portales y redes sociales como Facebook, Twitter o Google Reader. Para aprovechar esta última funcionalidad, primero habría que crear una cuenta en cada uno de estos portales y vincular esas cuentas con la de YouTube. Esto es definitivamente una buena opción para los usuarios más avanzados que deseen hacer notar y propagar su presencia en las diversas redes sociales.

Figura 2.9. Compartiendo el feed de actividad

Configuración del blog y configuración de móviles

Las dos siguientes opciones se destacan por la funcionalidad agregada de vincular un *blog* a su cuenta de YouTube o la opción de subir vídeos a la cuenta configurada desde un teléfono móvil. Vincular un *blog* permite almacenar la contraseña de éste, permitiendo publicar el vídeo sin necesidad de meter la contraseña. Para enviar vídeos desde su móvil, YouTube le facilita una cuenta de correo que debe ser añadida como contacto en su agenda. Envíe el vídeo desde su móvil a esa cuenta de correo y será automáticamente publicado en su canal.

2.3.4 Subiendo un vídeo a YouTube

Una vez grabado algún vídeo utilizando una cámara digital, teléfono móvil o bien una webcam, el próximo paso será subir el vídeo al canal que ha creado. Antes de subir el vídeo, será necesario verificar el formato en el que se grabó. En este sentido, YouTube es bastante tolerante en cuanto a formatos y tamaño. YouTube admite los formatos más comunes como AVI, MPEG, QuickTime y Windows Media. En cuanto al tamaño, YouTube permite subir vídeos de hasta 2 GB, lo cual permite el almacenamiento de vídeos de alta resolución como HD, aunque la duración de los vídeos no debe superar los diez minutos.

Para poder subir vídeos a su canal, debe entrar al portal con su usuario. Desplegando el menú que aparece en su nombre de usuario, seleccione **Mis vídeos**. En esta sección aparecen todos los vídeos que le puedan pertenecer y desde ella puede administrar el contenido subiendo nuevos vídeos, editarlos o bien eliminarlos del todo. En el caso del usuario, Agustín Quiefamín, no se han subido vídeos al canal y aparece vacío su listado. Aparece también un enlace para acceder directamente a la sección de subidas. El menú desplegable de **Nuevo** le da dos opciones, crear una nueva **lista de reproducción** de vídeos existentes o bien la **Subida de vídeos**. Puede empezar a subir vídeos haciendo clic en **Subida de vídeos** o bien haciendo clic en el botón amarillo de la esquina superior **Subir**.

Figura 2.10. Subiendo un vídeo al portal

En esta sección puede subir un vídeo que tenga grabado o empezar a grabar uno utilizando una webcam. En este caso, para subir un vídeo previamente grabado, haga clic en **Subir vídeo**. En la ventana que se abre, seleccione un fichero de vídeo a subir para empezar la transferencia de datos. La duración de este proceso dependerá del ancho de banda disponible y del tamaño del fichero que se está subiendo. Una vez terminado este proceso, aparecerá un mensaje indicando el resultado de la subida del vídeo.

Figura 2.11. Describa el contenido del vídeo

Para terminar, deberá primero rellenar el formulario con los detalles de su vídeo. Uno de los primeros campos a rellenar será el título, que será "el nombre con el que aparecerá el vídeo" una vez publicado en YouTube. Procure introducir un título llamativo en su vídeo si desea que otros lo vean. La gente que navega a diario busca entre miles de vídeos algo que le pueda parecer interesante. No atrae ver un vídeo titulado simplemente *Magia.* Este título no despierta el interés tanto como *Magia Prohibida,* que resulta ser más llamativo. También puede utilizar algo más explicativo como *Magia para principiantes,* que de alguna manera informa al usuario de qué tipo de contenido tiene el vídeo.

Cuando elija un buen nombre para su vídeo, puede introducir una breve o detallada descripción del vídeo. Esta descripción aparece junto al vídeo al momento de reproducirlo y es opcional. Mientras que no tiene que esforzarse como en el caso de crear un título llamativo, sí debiera escribir una descripción que contenga las palabras apropiadas en relación al contenido del vídeo, es decir, palabras que posteriormente empleen otros usuarios para encontrar el vídeo usando el buscador de Google o YouTube.

Para mejorar las búsquedas, otro parámetro a fijar será la categoría a la que pertenecerá el vídeo, que será utilizado para las búsquedas avanzadas en el portal. También para posicionarse mejor en los resultados de búsquedas, en el campo de **Etiquetas** puede indicar un listado de palabras separado por espacios o comas. Éste es un modo de categorización libre y personal que le ayudará a ordenar los vídeos que suba a su canal. Estas etiquetas también serán consideradas como palabras clave de búsqueda además de su título y descripción.

Por último, habrá que elegir entre dos opciones para compartir el vídeo. La primera hará que el vídeo pueda ser visualizado por todo el mundo. La segunda opción es mucho más restrictiva y sólo permite que el vídeo sea compartido por veinticinco usuarios mediante una URL privada que se genera y se puede enviar por correo o chat a familiares y/o amistades. El otro modo para compartir privadamente es restringiendo las visitas a los amigos del canal.

Figura 2.12. Comparta el vídeo con privacidad o para todo el mundo

2.3.5 Editando un vídeo en YouTube

Ahora que existen diversos vídeos subidos al portal, dentro de la sección **Mis vídeos** aparecerá una fila por cada uno de ellos. Una de las funcionalidades más atractivas que ofrece YouTube a los usuarios es la de poder editar desde la propia página Web los vídeos subidos. Se obtienen resultados realmente sorprendentes y sin tener que recurrir a complicadas, y además caras, suites de software para la edición de vídeo. Cada registro de vídeo muestra diversa información sobre sí mismo así como las siguientes opciones:

- **Reproducir**: con esta opción se reproduce el vídeo con la página tal cual como la ven los usuarios del portal. De este modo se pueden observar los cambios introducidos a la página.

- **Editar**: esta opción permite realizar labores de edición avanzadas sobre el vídeo. Aquí el usuario podrá alterar los parámetros de privacidad, elegir cómo funcionará el sistema de comentarios, decidir quién puede votar y quién puede enviar respuestas o escribir comentarios. También se podrán fijar las configuraciones para hacer posible insertar el vídeo en otros portales Web que se puedan integrar con YouTube o bien manualmente copiando el código de páginas Web que se acompaña con el vídeo.

> **Nota**: al final de configurar todo, recuerde siempre presionar el botón **Guardar cambios** para no perder modificación alguna.

- **Anotaciones**: desde aquí se podrán editar las anotaciones, que son mensajes en forma de bocadillos o cuadros resaltados que aparecerán durante la reproducción del vídeo. Se puede elegir entre diferentes formatos y colores además de permitir fijar la duración de éstos. La interfaz es muy intuitiva y es perfecta para crear vídeo tutoriales o simplemente comentar algo divertido con los colegas. Si lo desea, puede permitir a terceros añadir sus propias anotaciones sobre un vídeo, compartiendo mediante correo o chat un enlace Web especial con la gente que desea que participen. Junto con las opciones de privacidad, para los aspirantes profesionales que trabajen ofreciendo contenido, esto podría permitir crear grupos de trabajo que puedan revisar el contenido antes de hacerlo público.

- **Subtítulos**: YouTube permite adjuntar archivos de subtítulos en diferentes formatos para que aparezcan mientras el vídeo es reproducido.

- **Cambiar audio**: una de las opciones más interesantes de la edición para hacer algunos vídeos silenciosos o sin diálogo, más interesantes. Esta opción permite al usuario sustituir la pista de audio original del vídeo por una canción a elegir que YouTube ofrece. Estas pistas de audio que ofrece YouTube no tienen problemas legales sobre derechos de autor, por tanto, los usuarios podrán elegir libremente entre cualquiera de ellas y con total tranquilidad sabiendo que no infringe ninguno de los términos de uso de la cuenta.

> **Nota**: el cambio de audio es permanente y no se puede volver al audio original. Por lo cual ha de tener cautela y tener un respaldo del vídeo original por si luego cambia de opinión.

- **Insight**: dentro de esta opción se pueden encontrar diversos informes y estadísticas sobre quién ha visto el vídeo. Desde cuántas veces se ve a diario hasta incluso poder inferir los aumentos y disminuciones de la audiencia en cada momento del vídeo. Una herramienta indispensable para el usuario profesional que desea posicionarse en Internet.

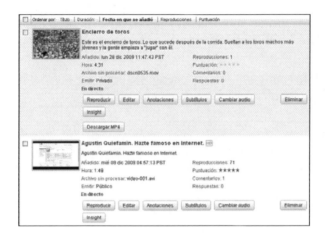

Figura 2.13. Listado de vídeos subidos

2.4 PARTICIPANDO EN LA RED SOCIAL

El gran valor de YouTube, al igual que otras redes sociales, es la gran comunidad que alberga. Puede decidir ser partícipe o no, pero tenga en cuenta que al igual que los grandes *films* de Hollywood, el estrellato yace en la aceptación de sus fans. Existen varias maneras de establecer su presencia, a continuación se discuten algunas de ellas.

2.4.1 Comentando y valorando vídeos

Como ya se comentó al inicio de este capítulo, YouTube no es sólo un portal en el que se puedan subir y visualizar vídeos, sino que es un portal interactivo en el que los usuarios registrados pueden comentar y puntuar los contenidos. Esto permite la selección natural del mejor contenido y hasta puede dar lugar a grandes debates en la red con vídeos de impacto social.

El vídeo en sí se puede valorar de manera muy sencilla. Si te gusta sólo hay que colocar el cursor sobre la barra de estrellas que aparece justo debajo de la ventana de visualización del vídeo y hacer clic sobre la valoración que se quiera asignar: deficiente, nada especial, vale la pena, bastante bueno o impresionante.

Para comentar un vídeo hay que estar registrado en el portal puesto que no se desea interacción anónima. Al final de la página, puede añadir un comentario pulsando sobre el botón **Publicar comentario**. Se permite lo suficiente para agregar un párrafo o dos de comentario si lo requiere. El sistema de comentarios funciona igual que foros de conversación, donde se puede responder a algún comentario en particular para debatir o socializar.

Para generar calidad de contenido está la posibilidad de valorar los comentarios de otros usuarios. Esto se hace haciendo clic sobre los iconos que aparecen con el pulgar hacia arriba o abajo para puntuarlo como bueno o malo respectivamente. Si ve que alguien está abusando del sistema publicitando algo, puede reportarlo como *spam*.

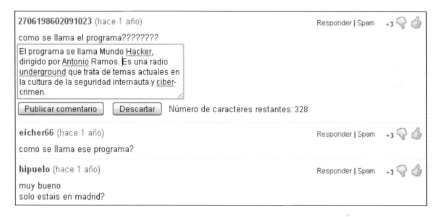

Figura 2.14. Interactuando con la comunidad

2.4.2 Actualizando su canal

Es importante mantener su canal actualizado e interesante si quiere que la gente le visite. Esto no significa que deba estar fuera todo el día con su cámara digital grabando 24 horas al día. Un modo más fácil de "generar actividad" es almacenar un listado de vídeos favoritos. Al igual que al navegar mantiene un listado de sus páginas preferidas registradas en su navegador Web, YouTube ofrece la posibilidad de almacenar un listado de sus vídeos preferidos.

> **Nota**: recuerde que el canal es público, así que tenga cautela al ir marcando vídeos como favoritos suyos si estos no están de acuerdo con su ambiente laboral o familiar.

Para agregar un vídeo como uno de sus favoritos, sólo hay que hacer clic en el enlace **Favoritos** que aparece debajo del cuadro de reproducción. Automáticamente el vídeo será almacenado en el canal del usuario para que se pueda acceder fácilmente a él.

Si quiere agrupar alguna temática en particular, puede optar por crear una lista de reproducción. Una lista de reproducción no es más que un contenedor de vídeos que el usuario puede usar para acceder de forma rápida a vídeos de una determinada categoría. Al hacer clic sobre el enlace de **Listas de reproducción**, YouTube le ofrece la posibilidad de crear una nueva lista o añadir el vídeo a una de las listas que ya tenga creadas.

Si va continuamente agregando vídeos de esta manera y si quiere sacar mayor partido al uso del portal, debiera compartir los vídeos en otras cuentas de redes sociales que pueda tener como Tuenti, Facebook, hi5, MySpace, Menéame, Live Spaces, orkut o reddit. Esto le permite compartir con todas sus amistades a la vez si su red social es muy diversa. Si está empeñado en alcanzar mayor audiencia, esto junto con una configuración apropiada de sus *feeds* como se ha explicado anteriormente en este capítulo, le dará la oportunidad de llegar a un conjunto de gente muy amplio y extenso.

Al llegar a este punto, habrá creado su propia cuenta en YouTube. Habrá configurado éste mismo y personalizado su propio canal para subir y editar sus vídeos. A medida que vaya subiendo más contenidos a su canal, trate de ir actualizando el canal aunque sea mediante el método de agregar vídeos favoritos. Si participa continuamente con la comunidad respondiendo a sus comentarios, verá cómo ésta le recompensa con valiosos clics en sus vídeos. Utilice los informes de estadísticas para obtener una mejor orientación sobre su audiencia y si quiere llegar a la cima, empiece a integrar el portal con otras redes sociales existentes. Ante todo, recuerde siempre divertirse con sus amistades y el resto de la comunidad.

Capítulo 3

FACEBOOK

3.1 INTRODUCCIÓN

Cuando se habla de redes sociales automáticamente aparece la palabra *Facebook*. Pocos fenómenos han alcanzado tal nivel de popularidad en los últimos tiempos. Al pasar por las zonas habilitadas para el uso de Internet como en aeropuertos y cafés, es sorprendente comprobar que prácticamente siempre habrá alguien en la sala que esté visitando esta página Web. Su alcance no se limita a hacer posible que la gente simplemente hable entre sí, su importancia llega a tal punto que se puede llegar a ganar o perder empleos o contratos y se pueden organizar manifestaciones gracias a la facilidad de compartir información a través de Facebook.

A lo largo de este capítulo se hará un recorrido por las distintas posibilidades que ofrece esta herramienta de comunicación. Se tratará desde los pasos necesarios para configurar su perfil de forma provechosa a moverse de la manera más segura posible por esta Web social. Uno de los temas sobre los que se hará hincapié es el de la privacidad de la información que se termina alojando en esta plataforma. Para ser precisos habría que hablar del grado de privacidad que ofrece Facebook, de forma que el lector lo pueda tener presente cuando desee compartir su información con otra gente. Éste es un punto a tener en cuenta en la eventualidad de que decida dejar de compartir algún contenido con su red de amigos. En definitiva, cuanto mejor se conozca el funcionamiento de Facebook mejor se podrán aprovechar las funcionalidades que ofrece.

3.1.1 ¿Qué es Facebook?

Mark Elliot Zuckerberg nació el 14 de mayo de 1984 en Dobbs Ferry (Nueva York) y ya desde muy joven comenzó a mostrar interés por el universo de la informática, empezando a programar a la edad de 12 años. Cursó estudios en Ardsley High School y Phillips Exeter Academy y en el año 2002, tras superar las pruebas de acceso, fue admitido en la Universidad de Harvard. ¿Pero quién es Mark Zuckerberg?

Hasta comienzos del año 2004, ésa podría haber sido la historia de cualquier otro chico norteamericano de clase media. Pero fue a principios de febrero de ese año cuando ocurrió el punto de inflexión en la vida de Mark. Junto con sus compañeros de habitación lanzó la red social llamada *thefacebook* con el objetivo inicial de poner en contacto a través de una plataforma Web a los estudiantes de su universidad. El nombre se debe al boletín que las universidades entregan a sus nuevos alumnos para que lleguen a conocerse entre ellos.

La primera versión de esta red social permitía que un estudiante de la Universidad de Harvard pudiera registrarse en este servicio a partir de una cuenta de correo. Una vez hecho esto, podía buscar a otros estudiantes que estuvieran también registrados e intercambiar mensajes y fotos con ellos. Cada usuario podía exponer sus intereses en su perfil y generar diálogo con sus amigos al poder intercambiar comentarios. Este espacio fue luego denominado como el muro del usuario, término que queda hasta hoy. Posteriormente se incorporó un supermuro que además permitía publicar vídeos en formato *flash*.

Fue tal el éxito de esta herramienta que en tan sólo dos semanas, prácticamente dos tercios de los alumnos de Harvard se habían registrado en este servicio Web. En los meses siguientes, la expansión de esta red social alcanzó a las universidades MIT, Boston University, Boston College y otras prestigiosas instituciones de Estados Unidos. Al llegar las vacaciones de verano, Zuckerberg aprovechó para crear su primera oficina en Palo Alto (California). Su idea era retomar los estudios tras dichas vacaciones pero debido a la inmensa demanda que generó su proyecto decidió abandonar Harvard y permanecer en California. Esto provocó que en 2006 esta red social abriera sus servicios no sólo a entornos educativos y empresariales sino también al público en general.

En dicho año, Facebook alcanzó la cifra de 64 millones de usuarios principalmente repartidos en poblaciones de habla inglesa, ya que hasta entonces era el único idioma en que estaba disponible esta aplicación. En el año 2008 expandió sus fronteras y apareció disponible en una gran variedad de idiomas, entre ellos alemán, francés y español. En esta etapa la revista *Forbes* incluyó a Zuckerberg en el puesto 785 de las 1125 personas más ricas del planeta. Como anécdota, Mark ostenta el récord de ser la persona más joven que ha sido incluida en esta prestigiosa lista.

Justamente, el fuerte de Facebook es su internacionalización. Mientras que otros sitios dedicados a la red social como MySpace se concentraban en una audiencia de habla inglesa, Facebook logró expandir sus fronteras al escenario internacional expandiendo el portal en diversos lenguajes. Esto fue lo que en realidad logró el crecimiento imparable de este portal, al permitir formar redes sociales y comunidades independientemente de su ubicación geográfica.

3.2 CREANDO UN NUEVO PERFIL

En el siguiente apartado se explicará cómo crear su propia cuenta de Facebook. Se iniciará con el proceso de creación de cuenta y luego se entrará en detalle sobre las configuraciones que puede realizar en su perfil. Al final de este apartado ya podrá empezar a hacer uso de su perfil en Facebook e interactuar con la comunidad.

3.2.1 Creando su cuenta

A partir de este punto se detallarán los pasos necesarios para comenzar a utilizar esta herramienta de forma eficiente y segura. Para ello, se comenzará con los requisitos imprescindibles que abrirán el entorno de posibilidades de esta red social al usuario. Los requisitos de los que se está hablando son el registro y la configuración de su cuenta en Facebook.

Para poder registrarse en Facebook se requiere que el usuario disponga previamente de una cuenta de correo electrónico que será la que identificará a esa persona en la red social. Esta cuenta de correo será relacionada al nuevo perfil generado en Facebook.

Figura 3.1. Página de inicio

En la página inicial de Facebook (*www.facebook.com*) se da al usuario la alternativa de validarse en el portal o crear un nuevo registro de usuario. Si ya está dado de alta en la aplicación Web, bastará con introducir en la parte superior de la página la cuenta de correo y contraseña asociada a su cuenta de usuario de Facebook. En este caso, se continuará mediante el proceso de registro asumiendo que no dispone aún de su cuenta. En la parte derecha de la página inicial también se encuentra el formulario que le permitirá darse de alta. En este formulario se le pedirá que introduzca su nombre, apellidos, sexo y fecha de nacimiento. Además deberá proporcionar una dirección de correo electrónico (que será la que deberá utilizar para iniciar sesión una vez esté registrado) y tendrá que elegir una contraseña para su cuenta de Facebook.

> **Nota**: una contraseña segura será aquélla que contenga por lo menos 8 caracteres entre los que debe haber letras, números y algún caracter especial como, por ejemplo, el guión o el guión bajo. Los atacantes maliciosos en Internet cuentan con diccionarios de palabras comúnmente utilizadas como contraseña. Por ello, cuanto menos común sea la contraseña elegida mayor será la seguridad. El tema de incluir caracteres especiales se debe a que los atacantes maliciosos generan cadenas aleatorias de caracteres para intentar obtener la contraseña correcta. A partir de 8 caracteres alfanuméricos donde se incluya algún caracter especial, el tiempo de cálculo que necesitaría el programa malicioso sería muy grande usando un ordenador doméstico convencional.

Una vez introducida esta información aparecerá una nueva pantalla con un *captcha*. El *captcha* se trata de una prueba de seguridad establecida para diferenciar si la cuenta está intentando ser creada por una persona o bien se trata de una aplicación informática automatizada ideada para dar de alta múltiples cuentas para posibles usos fraudulentos. Al superar esta prueba introduciendo correctamente los caracteres mostrados, se podrá realizar de forma opcional una configuración de la cuenta. Dicha configuración consta de 3 pasos, pero hay que señalar que cualquier información que introduzca en estos pasos iniciales podrá ser posteriormente modificada desde el correspondiente panel de configuración.

3.2.2 Configurando su perfil

En el primer paso se da la posibilidad de buscar en su lista de contactos de correo electrónico a aquéllos que ya posean una cuenta de Facebook. De esta manera no se comienza a utilizar la plataforma con una lista de contactos en blanco.

Figura 3.2. Búsqueda de amigos

Hay que señalar que para que se pueda llevar a cabo este primer paso de configuración, es necesario que introduzca su cuenta de correo electrónico junto con la contraseña que emplea en ese correo. De esta forma Facebook puede acceder a su lista de contactos y comprobar cuáles de ellos están ya registrados. Una vez se ha accedido a su lista de contactos utilizando para ello la contraseña de su correo, Facebook no almacenará dicha contraseña. Si no desea realizar esta acción tiene la posibilidad de obviarla haciendo clic en el enlace **Saltar este paso** situado en la parte inferior derecha de la pantalla.

Al llegar al paso 2 de la configuración se le pedirá que rellene determinada información personal suya para que otros amigos suyos le encuentren con más facilidad y ofrecer a personas que le conozcan la posibilidad de reconocerle y así ponerse en contacto. Para ello, se le preguntará por el nombre y nombre de su instituto junto con el año en que se graduó, la universidad a la que asistió y su año de promoción. Finalmente se le dará la posibilidad de introducir la empresa en la que trabaja. Al igual que en el paso 1, en la parte inferior derecha de esta pantalla se le presenta la opción de **Omitir** este paso (con lo que no haría falta introducir aquí ningún tipo de información) y también la opción de **Guardar y continuar** con el proceso.

En el paso 3 de la configuración (véase Figura 3.3) podrá agregar una imagen personal para su nuevo perfil. Podrá elegir una foto que tenga en su ordenador o bien usar su webcam para hacerse una foto utilizando el asistente de Facebook. Una foto es la mejor manera de permitir a otros identificarle. Trate de encuadrar su rostro en la imagen, puesto que será reducida a un tamaño pequeño cuando se listen los resultados en búsquedas. La foto de perfil es considerada como una información pública para la que no hay un control específico de privacidad.

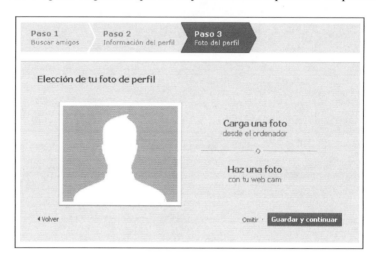

Figura 3.3. Elegir foto de perfil

Para poder subir una foto desde su ordenador o su webcam a Facebook necesita que el navegador que utilice (Internet Explorer, Mozilla Firefox, Opera, etc.) tenga el *plugin* de Adobe Flash. En caso de no tenerlo, se le mostrará un mensaje indicando esa situación y se le dará la posibilidad de descargarlo como se puede observar en la siguiente figura.

Figura 3.4. Descargar Flash

Al hacer clic en el botón **Descargar Flash**, su navegador será redirigido a la página Web de Adobe Flash. Una vez se encuentre en ese sitio deberá hacer clic en el botón **Aceptar e instalar ahora** para que dicho complemento se descargue y se instale en su ordenador.

Una vez que su navegador disponga del complemento necesario para reproducir contenido *flash*, ya podrá subir fotos desde su ordenador a Facebook. Haga clic en el enlace **Subir una foto desde el ordenador**. Al hacerlo aparecerá una nueva ventana desde la que podrá buscar entre los archivos de su ordenador la foto que desea utilizar en su perfil al presionar en el botón de **Examinar**. Hay que señalar que el tamaño máximo de la foto que se puede subir a Facebook es de 4 MB.

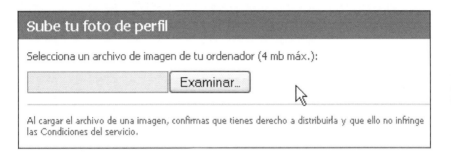

Figura 3.5. Buscar foto

Este paso, al igual que los otros 2 anteriores, puede saltarse mediante el enlace **Omitir** localizado en la zona inferior derecha de la página. La foto de perfil podrá ser establecida y cambiada en cualquier momento desde el control correspondiente de su perfil como se verá posteriormente en el punto sobre su muro e información personal.

Al superar los tres pasos de la preconfiguración se le avisará mediante un mensaje mostrado en la parte superior de su navegador de que su cuenta todavía no ha sido confirmada. Para solucionarlo debe entrar en su correo electrónico y en la bandeja de entrada deberá localizar un mensaje enviado por Facebook y acceder a él. Una vez abierto dicho mensaje encontrará un enlace sobre el que deberá hacer clic para que su cuenta de Facebook quede confirmada. Al visitar el enlace recibido en su correo lo que está haciendo es notificar a Facebook que es el propietario de la cuenta de correo que proporcionó al iniciar el proceso de registro. De ahí la necesidad de esta medida de seguridad.

En la siguiente figura se muestra una copia del correo enviado por Facebook pidiendo que se haga clic sobre el enlace de confirmación. Como se puede apreciar, al final de dicho enlace va incluido el código de confirmación que Facebook le ha asignado. No es necesario que se fije en esta información sobre el código de confirmación ya que no se le pedirá que lo introduzca en ningún momento.

Figura 3.6. Correo de confirmación

Cuando haya realizado el requisito de confirmar su cuenta de Facebook, el mensaje indicativo de realizar la confirmación desaparecerá de la parte superior de la pantalla. En este punto su cuenta de Facebook se encuentra creada y confirmada. A partir de ahora se le guiará por los controles necesarios para que pueda configurarla a su gusto.

En el menú superior de la pantalla, entre varias opciones encontrará el menú **Cuenta**. Al pasar el ratón por encima, se expandirá el menú para ver las diversas acciones que tiene sobre su cuenta. A continuación se verá cómo modificar algunos aspectos básicos de su cuenta, haga clic en **Cuenta > Configuración de la cuenta** como se muestra en la siguiente imagen:

Figura 3.7. Configuración de la cuenta

Al hacer clic en **Configuración de la cuenta** aparecerá una nueva pantalla. Será en ella desde donde podrá editar información relativa a su cuenta de Facebook. A la derecha de cada entrada en esta página se encuentra un enlace llamado **Cambiar**. Si se hace clic sobre él podrá editar la información asociada a ese control. El valor actual de dicha información (en caso de que esté configurada) se muestra justo debajo del enlace **Cambiar**. Los datos de su cuenta que son modificables desde este apartado son:

- **Nombre**: el objetivo es que sus contactos puedan conocer su nombre completo. Siempre es conveniente decidir si esta cuenta de Facebook está orientada a su entorno laboral o si la usará para relacionarse con sus amigos.

- **Nombre de usuario**: hace referencia al apodo o *nick* que se asociará a su cuenta de Facebook. La gente también podrá encontrarle en esta red social a través de este nombre de usuario.

- **Correo electrónico**: en este apartado podrá indicar su cuenta de correo electrónico en la que puede ser contactado. Por defecto aparecerá el correo que empleó para registrarse en Facebook.

- **Contraseña**: aquí podrá cambiar la contraseña que deberá introducir para iniciar sesión en su cuenta de Facebook.

- **Cuentas vinculadas**: a través de este control podrá añadir otras cuentas de correo electrónico que se asociarán a esta cuenta de Facebook. El objetivo es dar la posibilidad al usuario de utilizar varias cuentas de correo electrónico para iniciar sesión en la misma cuenta de Facebook. Cuando inicie sesión en una de sus cuentas vinculadas, automáticamente también lo hará en esta cuenta de Facebook.

- **Pregunta de seguridad**: ésta se configura para el caso de que se le olvide la contraseña de su cuenta. Sólo Facebook y usted deberán conocer la respuesta a la pregunta de seguridad y será dicha respuesta la que le permitirá a Facebook reconocerle como el legítimo propietario de la cuenta. Al responder correctamente se le permitirá establecer una nueva contraseña. Facebook cuenta con una serie de preguntas de seguridad de entre las que deberá elegir una de ellas y a continuación se le pedirá que introduzca en un cuadro de texto la respuesta a dicha pregunta de seguridad.

- **Privacidad**: desde este control puede decidir quién puede acceder a los diversos tipos de información que comparte en Facebook.

- **Desactivar cuenta**: en Facebook se tiene la posibilidad de suspender temporalmente su cuenta utilizando este control. Esto significa que su información ya no será accesible para los demás, aunque ésta sigue estando presente en los servidores de Facebook. En cualquier momento podrá volver a activar su cuenta iniciando sesión con sus credenciales. Por otra parte, el usuario también podrá eliminar de forma permanente su cuenta visitando el enlace:

http://www.facebook.com/help/contact.php?show_form=delete_account

3.3 NAVEGANDO EN FACEBOOK

A continuación se explorará la interfaz de este portal Web orientado al uso de redes sociales. En este punto el lector debiera tener su perfil creado y tener al menos una amistad creada. De esta manera podrá continuar trabajando en este apartado donde aprenderá a comentar en muros de otros y compartir contenidos con su red social.

3.3.1 Primeros pasos

Cuando inicia sesión en Facebook se encontrará por defecto en la página de inicio. Cuando navegue por el portal siempre podrá volver a ella haciendo clic en el botón **Inicio** situado en el menú superior de la ventana.

En esta sección se muestra un historial de mensajes y actividades de otros. La columna de la izquierda muestra una lista de botones que se corresponden con actividades que se pueden hacer en Facebook. El objetivo de estos botones es el de mostrar en el área central noticias sobre aquellos de sus amigos que hayan realizado y compartido sus actividades. Por ejemplo, uno de los botones que podrá encontrar en la columna de la izquierda es **Fotos**. Al presionar ese botón, el área central cambiará para mostrar las imágenes que comparten sus amigos. Además se le dará la posibilidad de que añada sus propias fotos haciendo clic en el botón **Cargar fotos** que aparecerá en la parte superior de la página. Otros botones que podrá encontrar en la columna de la izquierda le proporcionarán información sobre actualizaciones de estado realizadas por sus amigos, nuevos vídeos que hayan compartido o notas que hayan publicado.

Figura 3.8. Página de inicio

La columna central, como ya se ha comentado, agrega información sobre las actividades de las amistades en su red social. Utilice el menú a la izquierda para filtrar qué tipo de eventos desea estar viendo. Por defecto, la página de inicio se sitúa en **Últimas noticias**, éstas son los pequeños mensajes que todos publican para compartir lo que están haciendo o pensando. Justo arriba del todo dispone de un cuadro de texto que le invita a participar con la pregunta "¿Qué estás pensando?". La idea es escribir un pequeño mensaje para dar a conocer algo interesante o simplemente hacerles saber al resto que está bien.

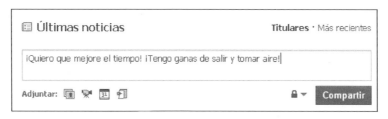

Figura 3.9. Comparta algo con sus amistades

Justo encima del cuadro de texto hay dos opciones que afectan a la visualización de noticias. Si tiene seleccionado **Titulares**, se verán las actividades que hayan tenido más respuestas o hayan gustado a otras personas. Si en cambio selecciona **Más recientes**, se verán todos los mensajes entrantes. Si tiene muchos amigos esta última opción le puede inundar de mensajes publicados, pero se ha de mencionar que puede elegir filtrar a algunos usuarios. Si sitúa el ratón sobre alguna de las noticias de sus amigos podrá ver que a la derecha de esa noticia aparece un botón **Ocultar**. Si hace clic sobre él se le preguntará si desea que no se muestren noticias sobre ese amigo en concreto.

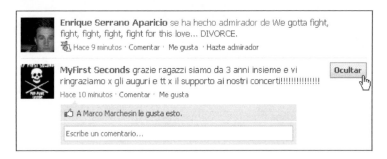

Figura 3.10. Puede ocultar actualizaciones de ciertas personas

En la columna de la derecha de la página de inicio se le mostrará una serie de paneles relacionados con sugerencias de personas que tal vez conozca, estos paneles se encuentran bajo el nombre de **Solicitudes**. Facebook interpreta que puede conocer a alguien si hay un número alto de amigos en común. También se puede sugerir en base a gente que se haya topado en los grupos de discusión. Estas sugerencias se presentan para enviar una solicitud de amistad y agregar a esa persona a su red social si la solicitud es aceptada. De la misma manera, otras personas le enviarán sus peticiones de amistad o bien solicitudes para unirse a grupos o asistir a eventos como el cumpleaños de alguien entre otras posibilidades.

Figura 3.11. Solicitudes y sugerencias

3.3.2 Página de perfil

Todo usuario registrado en Facebook cuenta con su propia página de perfil. Esta página es lo que ve el resto del mundo al hacer clic sobre un usuario de Facebook. Para llegar a esta sección, diríjase al menú superior y haga clic en **Perfil**.

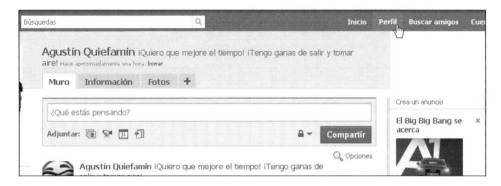

Figura 3.12. Diríjase al perfil

Al hacerlo llegará a una página en la que, entre otra información, se mostrará en la parte izquierda su foto de perfil, datos que desee destacar (como una breve descripción sobre sus temas de interés y otros datos como su fecha de nacimiento) y cuántos amigos tiene. Antes de seguir con la descripción del contenido de la página de perfil, se detallarán los aspectos mencionados que aparecen en la parte izquierda de dicha página.

Figura 3.13. Perfil de usuario

Álbum de perfil

En primer lugar, en dicha parte izquierda de la página se muestra su foto de perfil. Si desea modificarla deberá hacer clic sobre ella. Si únicamente sitúa el cursor del ratón sobre la foto verá cómo aparece un enlace en color azul sobre la foto. Dicho enlace visualizará el mensaje **Cambiar foto**. Al hacer clic sobre ese enlace se consigue el mismo efecto que si hace clic directamente sobre la foto de perfil y será redirigido a un álbum de fotos dedicado a las imágenes que haya utilizado como foto de perfil. Desde esta página podrá realizar las siguientes acciones:

- **Editar fotos**. Si hace clic sobre este enlace se le llevará a una página en la que se le permitirá modificar cada una de las fotos presentes en este álbum. Estas modificaciones le permitirán añadir un comentario a modo de pie de foto, etiquetar a las personas que aparecen en dicha imagen, eliminar la foto y por último podrá indicar si desea que esa foto sea la elegida para su perfil.

- **Cambiar la foto de perfil**. Al hacer clic en este enlace será llevado a una página en la que se le darán dos opciones para establecer su nueva foto de perfil. La primera será a través del enlace **Álbum de fotos de perfil**, en el que podrá elegir de entre las imágenes presentes en este álbum la que será utilizada como nueva foto de su perfil. La segunda posibilidad será la de utilizar el explorador de ficheros para buscar de entre las imágenes presentes en su ordenador, la que será subida a Facebook para ser usada como nueva foto de perfil. Además esa foto pasará a formar parte de su álbum de fotos de perfil. Hay que señalar que para poder usar el explorador de archivos presente en esta página de Facebook, es necesario que su navegador disponga del reproductor de Adobe Flash, cuya instalación se mostró en una sección previa de este capítulo.

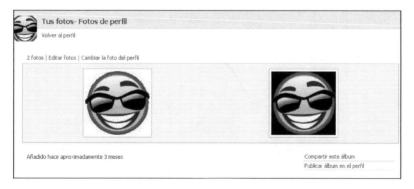

Figura 3.14. Álbum de fotos de perfil

- **Compartir este álbum**. Mediante este enlace se le enviará un mensaje privado al buzón del amigo o amigos que desee. Dicho mensaje podrá contener un texto escrito junto con el enlace que llevará a visualizar este álbum.

- **Publicar álbum en el perfil**. Al hacer uso de este enlace se publicará en su muro una nueva entrada. Dicha entrada será el contenido de su álbum de fotos de perfil, por lo que será visible también desde su muro.

Información personal a compartir

De vuelta en la página de perfil y continuando con la descripción de la información mostrada en la parte izquierda de la pantalla, hay que destacar que se dispone de un espacio editable donde podrá indicar aspectos sobre uno mismo. Para editar este espacio únicamente hay que hacer clic sobre el enlace que muestra la frase **Escribe algo sobre ti**. Entonces aparecerá un recuadro en el que podrá escribir una pequeña reseña sobre uno mismo.

Justo debajo encontrará un bloque llamado **Información**. Situado a su derecha podrá encontrar un icono en forma de lápiz. Haciendo clic sobre él podrá editar la información que se mostrará en este bloque. Si ha decidido editar estos datos, aparecerá una nueva pantalla con cuatro secciones: **Información básica**, **Información personal**, **Información de contacto** y por último, **Formación y empleo**.

El primer punto configurable en la pestaña de **Información** es el de **Información básica**. Para expandirlo, a la izquierda de dicho título, encontrará un icono triangular sobre el que deberá hacer clic. En Información básica podrá modificar datos como si es hombre o mujer, si desea que esta información se muestre en su perfil o si desea mostrar o no su fecha de nacimiento. Su ciudad de origen, la ciudad en la que vive actualmente y su barrio también están disponibles para ser mostrados si desea rellenar dichos campos. Así como su situación sentimental o lo que busca mediante la utilización de Facebook (amistad, ligar, una relación y/o contactos profesionales). Por último, esta sección también es capaz de recoger información sobre su ideología política y creencias religiosas siempre que desee rellenar los cuadros de texto correspondientes. Cuando haya completado la información que le interese que los demás conozcan podrá almacenarla en Facebook haciendo clic en el botón **Guardar cambios**, situado en la parte inferior de la pantalla.

El siguiente punto configurable en la pestaña de **Información** es el de **Información personal**. Al expandirlo aparecerán una serie de campos en los que podrá introducir diversos detalles personales como actividades que realice, su música favorita, libros que desee recomendar, citas favoritas o un resumen de sí mismo. Comparta la información que no le moleste que otros sepan y siempre tenga en cuenta que ciertos datos son inofensivos para algunos pero molestan a otros. Tal vez sea de agrado compartir su afición por el cultivo, pero esto le podría avergonzar frente a sus amistades del club de rifle y caza. De la misma manera, dar a conocer que pertenece al club de rifle y caza podría molestar a sus amistades que son miembros de organizaciones para la protección de animales. Una vez rellenada dicha información para su perfil no olvide presionar el botón **Guardar cambios**.

Continuando con los puntos configurables de la pestaña de **Información** encontrará el menú desplegable de **Información de contacto**. Al hacer clic sobre el icono triangular de este punto se expandirá una ventana donde se encentran las cajas de texto que recogerán distintas formas mediante las cuales sus amigos podrán localizarle. Hay que señalar que mediante estos cuadros de información podrá elegir por quiénes desean que sean vistos sus datos de contacto compartidos en la red Facebook. Las posibilidades de alcance de visibilidad de su información de contacto son las siguientes:

- **Todos**. Si selecciona esta opción, la información que tenga este valor de visibilidad podrá ser accesible por toda persona que acceda a Internet. Esto significa que motores de búsqueda podrán incluir estos datos para mostrarlos si alguien los busca. Esta opción es la más interesante para aquéllos que utilizan el perfil para publicitarse ante el mundo.

- **Amigos de mis amigos**. Mediante esta opción, su información que tenga este valor podrá ser visible por sus amigos y por todos los contactos de sus amigos. Un poco más restringida que la opción anterior, esto permite filtrar su audiencia a usuarios registrados en Facebook.

- **Sólo mis amigos**. A diferencia de las opciones anteriores, los datos que tengan este valor de accesibilidad únicamente podrán ser vistos por sus amigos. Esto es para personas que desean mantener contacto tan solo con sus amigos y es la opción más común a utilizar.

- **Personalizar**. Cuando haga clic sobre esta opción aparecerá una nueva ventana en la que en la parte superior se le dará la posibilidad de crear una lista blanca de gente que podrá acceder a esa información, de forma que la gente que no aparezca en esa lista no podrá ver dicha información. Para generar esa lista blanca, Facebook le mostrará un menú desplegable en el que podrá elegir entre diversas opciones como: que sólo sean sus amigos los que puedan ver esos datos, que tenga que indicar las personas concretas que podrán acceder a ellos o que dicha información únicamente sea accesible por usted. En la parte inferior de esta ventana también se le dará la opción de crear una lista negra en la que deberá indicar los nombres de las personas que no desea que vean esta información.

Se le han mostrado las distintas posibilidades de visibilidad de su información de contacto y le rogamos la utilice con el mayor cuidado posible. Ahora sólo queda realizar un repaso por los distintos tipos de información de contacto que le permitirá compartir Facebook.

- **Direcciones de correo electrónico**. En este punto verá por defecto la cuenta de correo con la que se registró en Facebook. También se dispone de un enlace llamado **Añadir/eliminar direcciones de correo** desde el que podrá editar los correos electrónicos que desee mostrar a sus contactos. A la derecha de este punto encontrará un icono en forma de candado en el que si hace clic sobre él podrá elegir la visibilidad de esta información de entre las cuatro posibilidades explicadas anteriormente (todos, amigos de mis amigos, sólo mis amigos y personalizar).

- **Nombre de usuario de mensajería instantánea**. Por defecto, el cuadro de texto que recoge esta información estará vacío. En él podrá escribir la cuenta de mensajería instantánea que quiera mostrar. Los servicios de mensajería disponibles son AIM, Google Talk, Skype, Windows Live, Yahoo!, Gadu-Gadu e ICQ. También podrá añadir más cuentas a través del enlace **Añadir otro nombre de usuario**. A la derecha de este punto se encuentra el icono con forma de candado desde el que se podrá determinar la visibilidad de la información aquí colocada.

- **Teléfono móvil, fijo y dirección**. En estas cajas de texto, que por defecto estarán vacías, podrá escribir la dirección de su residencia y el número de su teléfono fijo o móvil preferentemente con el formato +código_país-número_de_móvil. Por ejemplo, el código de país de España es +34 y a continuación se escribiría el número de su móvil. En este punto también se dispone del icono del candado para poder limitar la visibilidad de esta información.

- **Ciudad, vecindario y código postal**. En estas tres cajas de texto podrá proporcionar información adicional relativa a su ciudad de residencia, su vecindario y código postal para que puedan localizarle si así lo desea. Por defecto, esta información aparece vacía, pero se considera pública así que si la rellena podrá ser accesible por la gente. Por tanto, en estos tres puntos no encontrará el icono del candado.

- **Sitio web**. Si dispone de página Web y desea indicar la dirección, podrá hacerlo en la caja de texto de este punto. Por defecto aparecerá vacía. En este punto sí dispondrá del icono del candado para establecer quién puede ver esta información.

El último de los puntos configurables de la pestaña **Información** es el de **Formación y empleo**. Al hacer clic sobre el icono en forma de triángulo de este punto se desplegarán una serie de cuadros de texto que le permitirán compartir información sobre sus estudios, formación y lugares donde haya trabajado. Esto es muy útil para que compañeros de trabajo o de escuela le puedan encontrar de manera mucho más fácil. Este dato también ayuda a Facebook a darle sugerencias de amigos.

El muro

Una vez explicados los puntos de configuración de la pestaña **Información** se comentará otro punto de esencial importancia en Facebook, **el muro**. Ésta es una de las principales funcionalidades que aparecieron desde el comienzo de esta red social. Al igual que en la página de inicio, el área central de esta página muestra un historial de eventos y actividades. A diferencia de la página de inicio, sin embargo, sólo se muestran los mensajes y eventos relacionados con uno mismo. Otra característica singular de este espacio es que se permite a sus amigos escribir en su muro. Al igual que antes, se tiene el cuadro de texto en el que podrá escribir un mensaje y adjuntar contenido a éste.

Figura 3.15. Icono de fotos

El cuadro blanco central de esa caja es el lugar donde podrá escribir el texto de su publicación (por ejemplo, su estado de ánimo, sus planes, algún suceso que le haya ocurrido y que desee compartir). Justo debajo encontrará el menú con los distintos tipos de contenidos que podrá adjuntar a su publicación en el muro. Podrá compartir:

- **Fotos**: el primer icono le permite compartir imágenes en su publicación. Comparta una imagen en su equipo, realice una foto desde su webcam o bien puede decidir crear un nuevo álbum desde aquí.

Figura 3.16. Comparta fotos

- **Vídeos**: el siguiente icono corresponde a la posibilidad de compartir algún vídeo presente en su ordenador o grabar uno con su webcam. Esta última opción es útil para aquellos usuarios a los que les gusta realizar blogs en formato de vídeo.

Figura 3.17. Comparta vídeos

- **Eventos**: el icono en forma de calendario permitirá enviar una invitación a la gente de su red social. Les puede informar de un evento al que deberán indicar si desean asistir, si lo tienen que decidir o si simplemente no van a asistir. Al hacer clic sobre el calendario se mostrará un formulario donde podrá establecer el nombre, el lugar y la fecha del evento objeto de la invitación.

Figura 3.18. Invite amigos a un evento

- **Enlaces**: éste es un icono en forma de chincheta. Dicho icono le permitirá incluir en su mensaje un enlace a un sitio Web en formato de hipervínculo (por ejemplo: *http://www.paginaweb.com*). De forma que cuando alguien haga clic sobre él, el navegador del usuario será redirigido a la página Web de dicho enlace. Utilice este botón si quiere compartir una noticia de algún sitio Web como *meneame.net* o un vídeo de YouTube. Basta copiar el enlace de dicho contenido y automáticamente se mostrará un pequeño resumen y una imagen para la nota.

Figura 3.19. Comparta el enlace a algún vídeo o noticia

En la parte de la derecha del cuadro de texto verá el icono del candado comentado anteriormente. Al hacer clic sobre ese candado se desplegará un menú con las distintas posibilidades de visibilidad de esa publicación en concreto. Es decir, podrá decidir con quién desea compartir esta publicación o enlace. Para terminar, haga clic en **Compartir** para que sus contactos en la red social, aquéllos que usted ha decidido, reciban el mensaje. En cuanto a las publicaciones presentes ya en su muro, si sitúa el ratón sobre alguna de ellas (sin necesidad de hacer clic) podrá ver que en la parte derecha de dicha publicación aparece el enlace **Eliminar**. Al hacer clic sobre dicho enlace podrá suprimir esa publicación de su muro.

3.3.3 Comparta contenidos multimedia

Una de las características principales de Facebook es la de compartir contenido multimedia. Ya ha visto que al escribir en su muro o en el de otros, puede adjuntar contenidos multimedia. Otra acción que puede realizar es la de crear álbumes para compartir con todos o bien sencillamente publicar un contenido para una sola persona.

Creando un álbum

Además de compartir publicaciones, puede generar colecciones de imágenes para que otros puedan visitarlas y dejar sus comentarios. Desde la página de su perfil, diríjase a la pestaña de **Fotos** en el menú superior de opciones. Al entrar en esa pestaña se cargará una nueva página desde la que podrá crear un nuevo álbum de fotos así como añadir, eliminar y editar fotos de otros álbumes ya existentes. Haciendo clic sobre el botón **Crear un álbum de fotos** le llevará a una nueva página donde se le presenta al usuario un formulario para que introduzca información relativa a ese nuevo álbum que desea crear.

Figura 3.20. Crear álbum

La información que se le pedirá para crear un álbum de fotos será un título, el lugar donde fueron tomadas las fotos contenidas en él y una descripción a modo de resumir lo ocurrido. Luego tiene la opción de elegir la audiencia de este álbum, es decir, a quiénes va a permitir ver dichas fotos. Una vez rellena esa información bastará con hacer clic en el botón **Crear álbum** y será llevado a la siguiente parte del proceso donde se le presentará un cuadro con las siguientes opciones:

- **Agregar fotos/Añadir más**: la primera acción a realizar en su nuevo álbum será la de agregar imágenes. La ventana comienza en esta pestaña automáticamente. Se carga la aplicación para poder subir múltiples fotos a la vez desde su escritorio. Utilice esta aplicación para elegir la carpeta donde tiene almacenadas sus fotografías, seleccione las que quiera subir y presione el botón de **Upload**. En caso de que el álbum ya contenga fotos, la opción cambia y aparecerá **Añadir más**.

Nota: para poder utilizar la aplicación de subida múltiple de imágenes, necesitará Java instalado en su ordenador. Si no lo tiene instalado, la página se lo indicará y le asistirá en el proceso para instalarlo.

Figura 3.21. Puede agregar múltiples fotos a la plataforma

- **Editar fotos**: cuando tenga las imágenes subidas a Facebook, se muestra cada foto para que se pueda añadir un pie con un comentario y etiquetar la foto para indicar los nombres de las personas que en ella aparecen. Para etiquetar a alguien, basta con colocar el puntero encima de la persona a identificar. El puntero cambia a forma de mirilla y basta con hacer clic sobre el rostro de la persona para hacer aparecer un menú con un listado de sus amistades y relacionar al usuario seleccionado de Facebook con la imagen subida. Cabe mencionar que puede seleccionar una imagen en concreto para hacer de ella la portada del álbum.

Figura 3.22. Etiquete las imágenes para identificar a las personas

- **Organizar**: aquí tendrá la posibilidad de establecer el orden en el que aparecerán las fotos en su álbum. Para ello basta con arrastrar las imágenes para colocarlas en la posición de orden deseada.

Figura 3.23. Es muy fácil organizar las imágenes en Facebook

- **Editar información**: aquí puede editar la descripción de su álbum. Lo más importante en este lugar es poder decidir quién puede ver el contenido que comparte en la plataforma.

- **Eliminar**: como el nombre indica, en esta pestaña tendrá la posibilidad de eliminar este álbum.

Mensajes privados

Otra forma de compartir imágenes y vídeos es a través de **Mensajes privados**. Estos mensajes se diferencian de las publicaciones de muro en que sólo los podrán ver las personas a las que se los envíe. Estas personas los recibirán en su buzón personal accesible para ellas a través del botón **Mensajes**. Pero para el caso que nos ocupa, que se trata de hacer llegar fotos y vídeos a sus contactos, deberá hacer clic en **Mensajes** > **Nuevo mensaje**.

Figura 3.24. Escribir nuevo mensaje

Al hacer clic sobre **Nuevo mensaje** aparecerá una ventana en la que tendrá que indicar a cuáles de sus contactos desea enviar este mensaje privado, el asunto o título del mensaje, el cuerpo del mensaje y en la parte inferior de la ventana podrá ver el menú de **Adjuntar** seguido por los iconos para incluir fotos, vídeos y enlaces. El manejo de estos controles es similar al explicado anteriormente a la hora de adjuntar este tipo de contenido en el muro.

Integración con YouTube

Una tercera forma de compartir vídeos es a través de páginas como YouTube que permiten interactuar con Facebook. Al ver un vídeo en YouTube debajo de los controles de reproducción del mismo, encontrará el icono de Facebook. Al hacer clic sobre él se abrirá una nueva ventana desde la que se presentan dos posibilidades: **Enviar el vídeo como un mensaje privado,** en la que tendrá que indicar la persona o personas que lo recibirán, el asunto o título del mensaje que por defecto será el título del vídeo en Youtube, opcionalmente si lo desea podrá incluir un mensaje. Se adjuntará dicho vídeo que podrá ser reproducido por el receptor desde su buzón de entrada de mensajes privados en Facebook. Esto será posible siempre que la reproducción de dicho vídeo en páginas ajenas de YouTube no haya sido deshabilitada por el propietario del vídeo. La otra posibilidad existente es la de publicar el vídeo en su muro.

3.3.4 Búsqueda y administración de contactos

Facebook proporciona diversas formas mediante las cuales puede localizar a sus amigos o contactos profesionales registrados en la plataforma. En caso de que no estén registrados, podrá enviarles a sus direcciones de correo electrónico invitaciones para que se unan a la red.

Para acceder a estos métodos de localización de personas, el primer paso será hacer clic en la pestaña **Buscar amigos** en el menú superior de navegación. Al hacerlo, la página cambiará para mostrar las diversas formas que hay para agregar gente a su red social. La forma más común es que otras personas le agreguen como amigo al haberle encontrado en la plataforma. En este caso, lo único que deberá hacer es aceptar cualquier solicitud de amistad que haya recibido. Otras posibilidades incluyen buscar entre sus contactos de correo electrónico o chat, aceptar las sugerencias de Facebook o realizar búsquedas en el portal para dar con alguien conocido de su pasado. A continuación se exploran los distintos métodos de búsqueda de los que se dispone:

- **Búsqueda de contactos de correo electrónico**: mediante esta opción se le muestra un formulario donde deberá introducir su correo electrónico y su contraseña para esa cuenta de correo. Al hacerlo permitirá que Facebook acceda a su lista de contactos para esa cuenta de correo. Una vez introducidos el correo y su contraseña, se le pedirá confirmación para que, como se ha dicho, Facebook pueda acceder a su lista de contactos. Si acepta, el resultado obtenido será que se le mostrarán aquellas personas de su lista de contactos de las que ya es amigo en Facebook y lo más importante, se le mostrarán las personas de su lista de contactos de esa cuenta de correo de las que todavía no es amigo en Facebook.

  A la izquierda de cada persona presente en esa lista aparecerá una casilla. Deberá marcar las casillas para aquéllas a las que desee mandar una solicitud de amistad. Para que dicha solicitud sea enviada deberá hacer clic en el botón **Añadir a mis amigos** que aparece debajo de esa lista de contactos. No se preocupe por su privacidad, Facebook no almacenará su contraseña. Lo más importante para mencionar es que puede repetir el proceso cuantas veces quiera con múltiples proveedores de correo. A diferencia de otras plataformas, Facebook soporta un importante número de proveedores de correo que no se limitan tan solo a Hotmail, Yahoo! y Gmail. Si no lo soporta, simplemente se le informará de que no está soportado por el momento, como en el caso de la siguiente figura.

Figura 3.25. Busque a sus amistades en su agenda de correo

- **Búsqueda de personas**. En esta sección de la página **Buscar amigos** se le proporciona una caja de texto a modo de buscador. En ella podrá escribir el nombre o el correo electrónico de la persona que busca en Facebook. Si introduce el nombre de una persona y ésta no se encuentra en la plataforma, se le mostrará un mensaje informando de esa situación y se le sugerirá introducir el correo electrónico de esa persona que es más certero normalmente para buscar. En caso de que haya introducido el correo electrónico de la persona que busca y dicho correo se encuentre asociado a una cuenta de Facebook, entonces se le dará la posibilidad de enviarle una invitación de amistad o bien de enviarle un mensaje privado. En la misma sección de **Búsqueda de personas** encontrará también tres enlaces.

  o El primero corresponde a **Buscar antiguos compañeros del colegio o instituto**. Si hace clic sobre él, se le mostrará un formulario donde tendrá que introducir el nombre del colegio, el año de promoción y de forma opcional (para afinar más la búsqueda entre personas que tengan Facebook y hayan acudido a ese instituto con ese año de promoción) el nombre de la persona que desea buscar. Al hacer clic en el botón **Buscar compañeros de clase** se realizará la búsqueda con esos criterios y se le mostrarán los resultados.

  o El segundo enlace se trata de **Buscar compañeros antiguos o actuales de la universidad**, con el que se mostrará un formulario similar al anterior para filtrar a partir del centro de estudios y de forma opcional del nombre de la persona.

  o El tercer enlace es **Encontrar compañeros de trabajo**, mediante el cual se le solicitará que introduzca el nombre de la empresa y de forma opcional el nombre de la persona buscada. Al rellenarlo deberá hacer clic en el botón **Buscar compañeros de trabajo**.

- **Búsqueda de contactos de mensajería instantánea**. Esta sección también se encuentra en la página **Buscar amigos**. Desde aquí se podrá importar la lista de contactos de su cuenta de AOL Instant Messenger, ICQ Chat y Windows Live Messenger. Para cada uno de estos tres servicios de mensajería instantánea se le pedirá el nombre de su cuenta en ese servicio y su contraseña para el mismo. De esta forma, al igual que ocurría en la búsqueda de contactos de correo electrónico, Facebook podrá acceder a su lista de contactos en estas cuentas de mensajería instantánea para darle la posibilidad de enviarles una solicitud de amistad de Facebook. Su contraseña en estos servicios de chat no será almacenada por Facebook.

Si desea ver quiénes son todos sus amigos de Facebook, deberá visitar su perfil. A continuación, en la parte izquierda encontrará una caja llamada **Amigos** y en ella un enlace llamado **Ver todos** sobre el que tendrá que hacer clic. Al hacerlo se le mostrará una nueva ventana en la que aparecerá una lista con las fotografías de perfil y los nombres de todos sus amigos en esta red social. A la derecha de cada nombre podrá ver una 'X' y al hacer clic en ella se le preguntará si desea eliminar a esa persona de su lista de amigos. Si esa persona todavía no ha aceptado su petición de amistad entonces se le dará la posibilidad de eliminar dicha petición. Si hace clic sobre el nombre de alguno de ellos entonces se le llevará al perfil de ese contacto.

Otra característica interesante en Facebook es la de poder agrupar a sus contactos en listas para así tener una mayor organización. Para ello, deberá acceder primero a **Buscar amigos** y, a continuación, tendrá que hacer clic en el botón **Crear una lista** presente en la parte superior de la página. Cuando lo haya hecho verá que se ha abierto una nueva ventana en la que se le pedirá que introduzca el nombre para ese grupo y debajo se le mostrarán las fotos de perfil y los nombres de sus amigos. Seleccione a aquéllos que desea agrupar en esa nueva lista y termine haciendo clic en el botón **Crear lista**. Si desea editar una lista ya creada podrá hacerlo desde **Amigos** (para localizar ese botón hay que hacer clic en la pestaña **Inicio** y una vez en dicha página verá un menú en la parte izquierda donde se encuentra dicho botón de **Amigos**). Al hacer clic sobre este botón verá cómo justo debajo aparece un menú desplegable donde podrá ver, entre otras opciones, los nombres de los grupos de amigos que haya creado. Si selecciona alguno de ellos se le llevará a una nueva página donde podrá ver el botón **Editar lista**. Si hace clic sobre él aparecerá una ventana con los nombres y fotos de sus amigos. Desde ella podrá confeccionar la lista de miembros de ese grupo de amigos.

Figura 3.26. Cree una lista para organizar a sus amistades

3.3.5 Mensajería interna

Se trata de mensajes privados que únicamente serán vistos por el amigo con el que esté intercambiando mensajes internos. Esta opción se encuentra en el menú lateral izquierdo a través del botón **Mensajes**. Al hacer clic sobre ese botón será llevado a una nueva página en la que por defecto se le mostrará su bandeja de entrada de mensajes privados recibidos. En la parte superior encontrará en primer lugar un buscador de mensajes. Dicho buscador le permitirá encontrar los mensajes intercambiados con alguno de sus amigos a partir del nombre de ese amigo (ese será el criterio de búsqueda). Debajo de **Mensajes** encontrará dos opciones: **Actualizaciones** y **Mensajes enviados**. Al hacer clic sobre alguna de ellas, se mostrarán en el panel de la derecha o bien los mensajes relacionados con nuevas noticias sobre Facebook o alguno de sus grupos (opción **Actualizaciones**) o sobre los mensajes que ha enviado a sus amigos (opción **Mensajes enviados**).

Figura 3.27. Bandeja de mensajes

En función de cada tipo de mensaje en la columna derecha se le presentarán distintas opciones, pero siempre encontrará el botón **Nuevo mensaje**. Si hace clic sobre él, abrirá una ventana emergente en la que se le pedirá que indique el destinatario, que puede ser uno o varios. Como si fuese un correo electrónico, indique el asunto del mensaje para luego escribir el mensaje en sí. Lo interesante a destacar en esta ventana emergente es la posibilidad de adjuntar fotos, vídeos o enlaces. La interfaz es altamente intuitiva y podrá llegar a hacerlo a través de los iconos presentes en la parte inferior de la presente ventana.

Otra funcionalidad a destacar presente en la parte central es la que ofrece el botón **Denunciar correo no deseado**. Para hacer uso de este botón en primer lugar debe seleccionar aquellos mensajes presentes en su bandeja sobre los que tenga alguna queja. Para seleccionarlos sólo tendrá que señalar la casilla presente en la parte izquierda de cada mensaje. A continuación, una vez que haya uno o más mensajes seleccionados, deberá hacer clic en el botón **Denunciar correo no deseado**. Al hacerlo estará avisando al equipo de Facebook para que investigue si se ha cometido alguna infracción en esos mensajes. A su vez, se hará visible un enlace con el que podrá retirar esa denuncia únicamente haciendo clic sobre él.

3.3.6 Chat de Facebook

Otra de las formas que le ofrece Facebook para comunicarse con sus amigos es a través del chat. Se encuentra situado en la parte inferior derecha de la pantalla. Al hacer clic sobre el botón **Chat** se desplegará una ventana en la que podrá ver quiénes de sus amigos están conectados. También en la parte superior de esta nueva ventana podrá ver un menú con dos botones: **Listas de amigos** y **Opciones**. La opción de **Listas de amigos** le permitirá crear grupos de amigos para el chat. Una de las ventajas que tiene esto es la de poder aparecer como desconectado del chat para un determinado grupo de contactos mientras que para otro grupo puede aparecer como conectado. Para ello, una vez creados los grupos podrá ver que a la derecha de cada uno de ellos aparece un icono ovalado. Cuando se sitúa el ratón sobre dicho icono, ofrecerá la posibilidad de conectarse/desconectarse en el chat para ese grupo.

El botón de **Opciones** le permitirá configurar distintos aspectos del chat. Al hacer clic sobre dicho botón aparecerá un nuevo panel en el que se le dará la posibilidad de desconectarse. Otra opción permite chatear en una ventana nueva para que sea más cómodo. También podrá definir aspectos de comportamiento, como reproducir sonidos que le notifiquen la llegada de nuevos mensajes.

Figura 3.28. Chat en Facebook

Por último, para chatear sólo tendrá que hacer clic sobre el nombre de alguno de sus amigos conectados que aparecerán en la ventana principal del chat. Al hacerlo, se abrirá una nueva ventana con dos cuadros de texto. En el cuadro de texto superior (que será el más grande) podrá ver los mensajes intercambiados con su amigo, mientras que en el cuadro inferior podrá escribir aquello que desee contarle. Para enviar un mensaje escrito en el cuadro inferior y que por tanto aparezca visible en el superior (con lo que podrá verlo su amigo) únicamente tendrá que pulsar el botón **Enter** de su teclado.

3.3.7 Grupos

Ésta es otra de las secciones estrella dentro de este gigante de las redes sociales que es Facebook. Para aquellos usuarios ávidos de Internet, lo más seguro es que estarán ya habituados al uso de foros de discusión; los grupos logran ser algo muy similar. Mediante los grupos se pretende proporcionar una plataforma dentro de Facebook con la que podrá llegar a bastante más gente que a través de un perfil personal. A la sección principal de los grupos se puede llegar haciendo clic sobre el icono correspondiente que está en el menú izquierdo de aplicaciones. Dicho icono tiene la silueta de dos personas con el texto **Grupos**.

Figura 3.29. Grupos

La sección de grupos le presentará una página desde la que podrá acceder tanto a los grupos de sus amigos como a los suyos. Inicialmente se mostrará a los que usted se ha unido recientemente pero se le proporcionarán enlaces para poder verlos todos.

Si hace clic sobre el nombre de alguno de los grupos podrá acceder a la página de Facebook correspondiente a ese grupo. Por tanto, podrá contener pestañas como la de **Muro**, **Información**, **Fotos**, etc. A la derecha del nombre del grupo podrá encontrar el botón **Unirse**, de forma que si hace clic en él pasará a formar parte de sus integrantes.

Volviendo a la página inicial de **Grupos** (accesible desde el menú izquierdo de **Aplicaciones** como se comentó anteriormente), también encontrará en la parte superior derecha el botón **Crear un grupo**. A continuación se le guiará en el proceso de creación de su primer grupo.

Una vez que haya hecho clic sobre el botón **Crear un grupo**, se le llevará a una nueva página en la que se le presentará un formulario con algunos apartados que deberá rellenar de forma obligatoria para que el grupo pueda ser creado. Dicha información obligatoria se corresponde con el nombre que desee que tenga el grupo, la descripción del mismo y su tipo. En cuanto al tipo, se le dará a elegir entre una lista de diversas temáticas como negocios, sólo por diversión, grupos de estudiantes, etc. Hay que tener en cuenta que cuanto más afine a la hora de rellenar estos tres campos, más probabilidades tendrá de que la gente lo encuentre al hacer búsquedas relacionadas con el objetivo de su grupo.

Elegir un nombre sugerente también puede ayudar de forma muy importante a que la gente se una, en especial cuando vea que alguno de sus amigos ya es miembro. Eso es debido a que uno de los principales métodos mediante los que la gente termina enterándose de la existencia de un grupo es cuando en la pestaña de **Inicio** se muestra que alguno de sus amigos se ha unido a un grupo cuyo nombre le llama la atención. Eso lleva a mucha gente a querer saber más y acceder a la página de ese grupo. Otra forma mediante la que la gente termina conociendo la existencia de un grupo es cuando recibe una invitación expresa para que se una a él.

Cuando haya rellenado esos tres campos de información necesaria y obligatoria, podrá optar por completar otras peticiones de información que se hacen en este formulario. Entre otros datos, podrá introducir a modo de contacto un correo electrónico para que la gente pueda localizarle o una página Web que puedan visitar. Cuando termine de rellenar este formulario deberá hacer clic en el botón **Crear grupo**.

En la siguiente página Web se le pedirá que configure el funcionamiento de su grupo de Facebook. Entre las opciones que se le presentarán podrá encontrar: colocar una imagen que los identifique o escribir en un cuadro de texto ubicado debajo de la opción de subir imagen (estas informaciones son opcionales). Podrá también habilitar o deshabilitar opciones, como el muro de comentarios entre otras, seleccionando o deseleccionando las casillas de elección a su lado derecho.

Además podrá escoger los niveles de seguridad y accesibilidad de su grupo en Facebook. Existen tres opciones:

a. Público. Cualquier persona puede unirse a este grupo e invitar a otros a hacerlo, ver la información y el contenido del grupo.

b. Privado. Para que un nuevo miembro se una al grupo, los administradores deberán aprobar su solicitud. Cualquiera podrá ver la descripción del grupo, pero sólo los miembros verán el muro, el foro de debate y las fotos.

c. Secreto. El grupo no aparecerá como resultado de una búsqueda ni en los perfiles de sus miembros. Solamente podrán unirse a él las personas que reciban invitación, y sólo los miembros podrán ver la información y contenido del grupo.

Cuando haya rellenado esta información deberá hacer clic en el botón **Guardar**. Al hacerlo se mostrará una ventana emergente en la que se le mostrará una lista de todos sus amigos. El objetivo es que pueda elegir a quiénes de ellos desea enviarles una invitación para unirse a su nuevo grupo. Una vez realizado este paso ya habrá terminado de crear su nuevo grupo.

3.4 APLICACIONES EN FACEBOOK

Cuando alguien genera una cuenta de Facebook puede llegar a preguntarse qué le ofrece esta red social además de poder comunicarse con otras personas. Una de las características que han hecho de Facebook un fenómeno de masas es la búsqueda por parte de sus creadores de formas para conseguir que la gente se sienta atraída a entrar cada día en esta red social.

No se limita a ofrecer una simple herramienta de comunicación que mueva a la gente a visitar su cuenta para ver si ha recibido mensajes de sus amigos. O simplemente para estar al tanto de las cosas que les ocurren o compartir las propias. Es conocida la capacidad adictiva de los videojuegos y propuestas interactivas como encuestas atractivas. Facebook ha sabido aprovechar eso para generar una red social en la que la gente quiera pasar su tiempo participando en ella.

¿Pero cómo lo ha hecho? Uno de los factores que ha ayudado a Facebook a conseguir su gran éxito ha sido el ofrecer a sus propios usuarios la posibilidad de crear sus propias aplicaciones interactivas y poder compartirlas no sólo con sus amigos sino con toda la comunidad de Facebook.

La temática de estas aplicaciones es muy variada, desde las citadas encuestas en las que se proponen temas como el de votar si alguno de sus amigos o usted mismo es bueno o malo en algo, hasta aplicaciones más desarrolladas como videojuegos de carreras de coches o combates.

Pero el hecho de que sean los propios usuarios de Facebook los que crean dichas aplicaciones también conlleva sus riesgos. Puede haber aplicaciones maliciosas que presenten por un lado una encuesta atractiva como "¿Eres bueno en el sexo?" y que el objetivo real de esa encuesta sea el de robar mediante técnicas de hacking información sobre su cuenta y la de sus contactos.

Para intentar detectar aplicaciones malignas, Facebook clasifica las aplicaciones en tres grupos:

- **Verified apps**. Aquellas aplicaciones que dispongan de este certificado le darán la seguridad de que cumplen todos los requisitos pedidos por Facebook. Dichos requisitos se refieren a diversos aspectos de seguridad y desarrollo. La sección de Facebook donde puede encontrar detallada información sobre las exigencias de seguridad para que las aplicaciones puedan ser compartidas en Facebook es:

  http://developers.facebook.com/policy/

- **Great apps**. Aquí se encuentran las aplicaciones cuyo nivel de desarrollo es alto, comparable al de las propias aplicaciones creadas por Facebook.

- **No clasificadas**. Son las aplicaciones que no han pasado por los controles de verificación de Facebook. Estas aplicaciones no mostrarán ningún tipo de certificado.

El símbolo de verificación de Facebook le ayudará a elegir aplicaciones seguras.

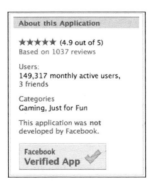

Figura 3.30. Logo de aplicación segura

Pero para formar parte de las aplicaciones verificadas por Facebook, hay que aplicar y pagar una suma de dinero para solicitar que alguien lo verifique y aporte el sello de calidad. Si se superan los requisitos se obtiene un certificado anual, por lo que para mantenerlo habrá que volver a pagar la cuota al año siguiente para volver a pasar las pruebas. Es una manera de licenciar la plataforma de Facebook ante fabricantes de terceros.

3.4.1 Búsqueda e instalación de aplicaciones

La forma más sencilla de buscar aplicaciones es a través del propio directorio de aplicaciones de Facebook que se encuentra en esta dirección: *http://www.facebook.com/apps/directory.php.*

En esta página encontrará una herramienta que le permitirá encontrar aplicaciones. Además, en la parte izquierda encontrará un menú con distintas temáticas de aplicaciones como: deportes, diversión, educación, entretenimiento, estilo de vida, familia y amigos, herramientas de software, juegos, negocios. Esto es posible ya que al crear una aplicación se le pide al desarrollador que indique la categoría en la que será clasificada. También podrá acceder a la lista con todas las aplicaciones presentes en Facebook a través de la sección **Todas las...** de ese menú temático. En la parte central del directorio de aplicaciones se le mostrarán aplicaciones que posiblemente le gusten. Facebook puede hacer esto a partir de información sobre sus gustos recopilada a partir de su movimiento por esta red social. También en la parte central de esa página se le mostrarán algunas aplicaciones a modo de ejemplo desarrolladas por el propio Facebook.

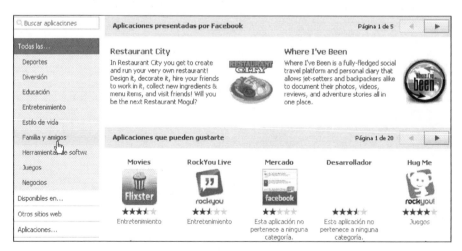

Figura 3.31. Página de aplicaciones

Para agregar una aplicación deberá hacer clic sobre su icono. Quizás tenga una página de acceso abierto en la que podrá encontrar información sobre ella y opiniones de otros usuarios que ya la hayan usado. La instalación de las aplicaciones es automática, únicamente se le mostrará una pantalla en la que se le pedirá consentimiento para permitir que esa aplicación pueda acceder a información de su cuenta en Facebook.

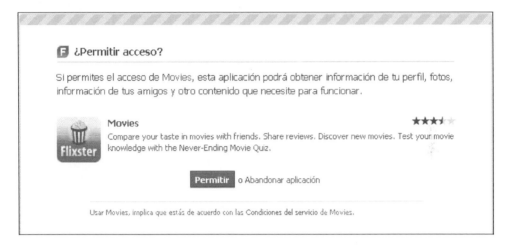

Figura 3.32. Permitir acceso a una aplicación

Para saber el grado de acceso a la información de su cuenta que quiere conseguir esta aplicación es muy conveniente hacer clic sobre el enlace llamado **Condiciones de uso** situado en la parte inferior de esa ventana. Ahí es donde los desarrolladores de la aplicación deben explicar a qué partes de la información de su cuenta quieren acceder y qué van a hacer con esa información. Si está de acuerdo con los términos propuestos por los desarrolladores de esa aplicación y quiere incorporarla a su perfil y hacer uso de ella entonces deberá hacer clic en el botón **Permitir**.

3.4.2 Configuración de aplicaciones

Para acceder a los controles que le permitirán configurar distintos aspectos de las aplicaciones que haya incorporado a su cuenta de Facebook deberá, en primer lugar, hacer clic en **Cuenta** > **Configuración de las aplicaciones**. Se le mostrará una pantalla en la que podrá visualizar sus aplicaciones, que podrán ser ordenadas en función de los siguientes criterios a través del control **Mostrar** que genera una lista desplegable: usadas recientemente, marcadas como favoritas, añadidas al perfil, autorizadas, con permiso para publicar elementos, con permisos adicionales concedidos y prototipos de Facebook. En función del criterio de ordenación elegido se le mostrarán unas aplicaciones u otras. En cualquier caso, a la derecha de cada aplicación mostrada se encuentra el enlace llamado **Editar**

configuración que le permitirá modificar distintas opciones de esa aplicación. Al hacer clic sobre dicho enlace se abrirá una nueva ventana emergente que en su interior tiene tres pestañas:

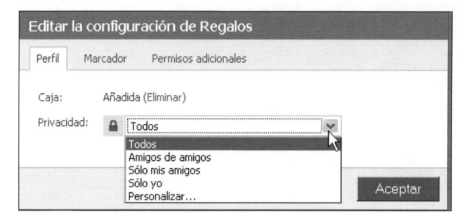

Figura 3.33. Configuración de una aplicación

- **Perfil**. Aquí es donde podrá elegir si en su perfil se añade la caja correspondiente a esta aplicación a modo de acceso directo, para poder acceder a ella de forma más rápida y cómoda. También aquí es donde determinará el ámbito de visibilidad de esta aplicación. Es decir, aquí decidirá quién puede ver el uso que usted haga de esta aplicación.

- **Marcador**. En esta pestaña podrá decidir si quiere incorporar esta aplicación a su lista de aplicaciones favoritas.

- **Permisos adicionales**. Dependiendo de cada aplicación concreta, en esta pestaña podrá otorgar permisos especiales para esta aplicación. Como, por ejemplo, si se trata de una aplicación de fotos permitir que la gente se etiquete en ellas, las comente, etc. En el caso de la aplicación Regalos se proporciona la posibilidad de dar permiso a esta aplicación para que publique en la página de **Inicio** de Facebook su actividad con esta aplicación. También se presenta la opción de permitir que Facebook le envíe un correo para notificarle que alguien le ha enviado un regalo usando esta aplicación.

3.5 CONCLUSIONES

A lo largo del capítulo se han ido mostrando diversas claves para conocer más a fondo el amplio espacio que abarca esta red social que es Facebook. Como se ha podido observar, la cantidad de posibilidades de comunicación que ofrece Facebook es enorme y a su vez cada herramienta de comunicación es altamente configurable. Por ello, conviene perder un poco de tiempo afinando sobre todo las opciones que tienen que ver con la privacidad de nuestros datos. Puede parecer un aspecto poco importante inicialmente, o quizás se pregunte: ¿y realmente a quién puede interesarle la información que yo publique en Facebook? La gravedad del problema existente puede comprobarse simplemente leyendo noticias como por ejemplo una en la que una mujer fue despedida por insultar a su jefe a través de una de sus publicaciones en esta red social. Como ya se ha comentado, cada vez hay más departamentos de recursos humanos que tienen en cuenta la información obtenida del perfil de Facebook de los aspirantes a un puesto de trabajo. Mientras que no debiera privarse de divertirse con sus amigos, sólo tome en consideración las posibles repercusiones que podría tener un uso sin control de su perfil en Facebook.

El otro lado de la moneda y realmente positivo es la cantidad enorme de gente a la que podrá llegar a través de Facebook. Si su objetivo es dar a conocer alguna de sus ideas ingeniosas ésta puede ser la plataforma ideal para hacerlo. Una vez que se dispone de la plataforma de propaganda, el truco será hacer atractiva la información que desee difundir y compartir. La idea es llamar la atención de forma positiva al conjunto de usuarios a los que usted quiera llegar.

Capítulo 4

TUENTI

4.1 INTRODUCCIÓN

Tuenti es el nombre dado a una red social de ámbito muy popular particularmente en España. Siendo una red social, Tuenti es un entramado de individuos interconectados entre sí cuyo nexo de unión se realiza a través de un portal público en el que se comparte un perfil personal. Éste puede ser visto por un grupo reducido de personas conocidas y de confianza solamente o bien por todos los usuarios que forman parte de la comunidad Tuenti.

En este capítulo aprenderá a crear y configurar su perfil de Tuenti. Se explorarán las opciones para la gestión de su cuenta y cómo aplicar políticas de privacidad. Como toda red social, Tuenti muestra un reflejo de los varios individuos que lo componen y deciden compartir su información. Veremos qué tipo de información se puede compartir y de qué maneras se interactúa en Tuenti.

4.1.1 Obteniendo fama con Tuenti

Cuando se habla de hacerse famoso en Internet y crear campañas, mucha gente acude a Tuenti puesto que es usada por muchas personas en España y permite la realización de eventos con asistencia masiva. Esto podría parecerle una tarea abrumante, pero no se preocupe demasiado si esto es lo que quiere realizar. Llegar a que otros usuarios conozcan a un individuo en concreto no es una tarea imposible, aunque sí requiere cierta dedicación.

El usuario que se registra en Tuenti no tiene por qué ser una persona real. Puede ser, como en muchos casos ocurre, un representativo de un bar, discoteca o cualquier otro negocio que por motivos publicitarios le interese darse a conocer mediante esta red social. Hay quienes llegan a ser famosos gracias a ella y por este motivo hay usuarios que se agregan por motivos de tendencia o política social, que no existen en verdad o bien estos perfiles son administrados por terceras personas. Como ejemplo, están como usuarios los dirigentes de los principales partidos políticos de España, como en la siguiente imagen donde se muestra el perfil público de José Luis Rodríguez Zapatero, presidente del Gobierno de España.

Figura 4.1. Perfil creado para fines de política social

4.1.2 Características de Tuenti

Tuenti ofrece un conjunto de posibilidades que ayudan a moverse a través de su red social, entre sus características se pueden destacar las siguientes:

- Cuenta con un espacio personal para escribir comentarios a modo blog, una herramienta indispensable si quiere hacerse conocer dentro de la comunidad. Tiene la posibilidad de atraer atención con lo que escribe o bien incluir vídeos almacenados en YouTube y distribuir contenido visual.

- Se pueden subir tantas fotos como se quiera y crear álbumes para compartir. Para mejor categorizar las fotos, puede etiquetar las imágenes con los nombres de las personas que aparecen. Al compartir un álbum con amistades y familiares es también agradable poder además agregar comentarios propios.

- Se pueden crear eventos de cualquier tipo e invitar a tantas personas como se desee. Los amigos lo aceptan o no como si fuese una invitación y comentan dicho evento mediante un tablón de comentarios.

- Existe la posibilidad de enviar mensajes privados a otros usuarios.

- Todo usuario en la red Tuenti cuenta con un tablón de mensajes en donde cualquiera puede escribir y dejar comentarios. Estos mensajes son públicos y es como se comunica normalmente en la comunidad.

- Se puede chatear con otros usuarios de Tuenti que estén actualmente on-line.

Hay que tener en cuenta que sólo se podrá interactuar con otros usuarios si ellos tienen habilitado el permiso de visibilidad en su perfil para permitir el acceso a terceros que no son amigos. Alternativamente, puede participar en perfiles de otros si forma parte de su grupo de amistades. Esto mismo ocurre para aquellos otros usuarios que quieran conectarse a nuestro perfil.

> **Nota**: para aquellos usuarios empeñados en obtener mayor audiencia, una buena imagen o foto llamativa es un buen complemento a su perfil.

Todo perfil posee un contador de visitas colocado en la esquina superior de la vista inicial del usuario. Este contador irá aumentando según el número de clics que se realice en su perfil. Utilice esta estadística básica para medir su popularidad en la red social de Tuenti. Al comienzo irá ascendiendo lentamente, pero según transcurra el tiempo y si se dedica a actualizar su perfil continuamente, empezará a darse cuenta de cómo las visitas aumentan rápidamente.

Agustín Quiefamin

||| 2 visitas a tu perfil

Figura 4.2. Contador de visitas

4.2 GESTIONANDO SU PERFIL

En Tuenti se ha de distinguir entre dos interfaces administrables, su interfaz privada y su interfaz pública. La interfaz privada es aquélla que permite configurar sus datos personales, personalizar la foto principal, escribir sobre su estado y añadir entradas en su blog. En general, es aquélla que le permite utilizar las diversas características de Tuenti al ser un usuario registrado. La interfaz pública es todo aquello que quiere mostrar a los demás usuarios de la red y en la que puede participar activamente, como por ejemplo: permitir que otro usuario escriba en nuestro perfil comentarios, envíe mensajes privados, intente agregarnos como amigos o comentar las fotos y leer su blog.

En el siguiente apartado se irán concretando todos los aspectos referentes a la configuración y personalización de su perfil. Se iniciará detallando el proceso de registro, los primeros pasos de configuración y la navegación en Tuenti.

4.2.1 Registre un usuario

Ahora que hemos visto qué es y qué podemos hacer con Tuenti, se configurará una cuenta de usuario nueva en el portal. Para esto tenga en cuenta los siguientes requisitos:

1. Para poder registrarse en esta red social deberá disponer de un correo electrónico que será utilizado como su nombre de usuario al autenticarse.

2. Otro usuario de la red Tuenti tendrá que invitarle al portal. No se puede unir a menos que una de sus amistades o conocidos forme parte de la comunidad. La invitación es enviada a la cuenta de correo que será utilizada como cuenta de usuario para Tuenti.

3. Debe estar dispuesto a ofrecer su información personal como su nombre, apellidos y dirección. Éstos pueden ser los propios del usuario de su negocio o personaje virtual.

Como se puede ver, Tuenti es una red privada y sólo aquellas personas que formen parte de ella pueden invitar a otros. Cada usuario registrado en Tuenti posee diez invitaciones disponibles. Pero no se preocupe, ya que esta red ha crecido tanto en estos dos últimos años que es posible conseguir más invitaciones de manera sencilla. Una vez que le inviten le llegará un correo electrónico con un enlace Web que le dirigirá al formulario de registro.

Figura 4.3. Invitaciones inicialmente disponibles

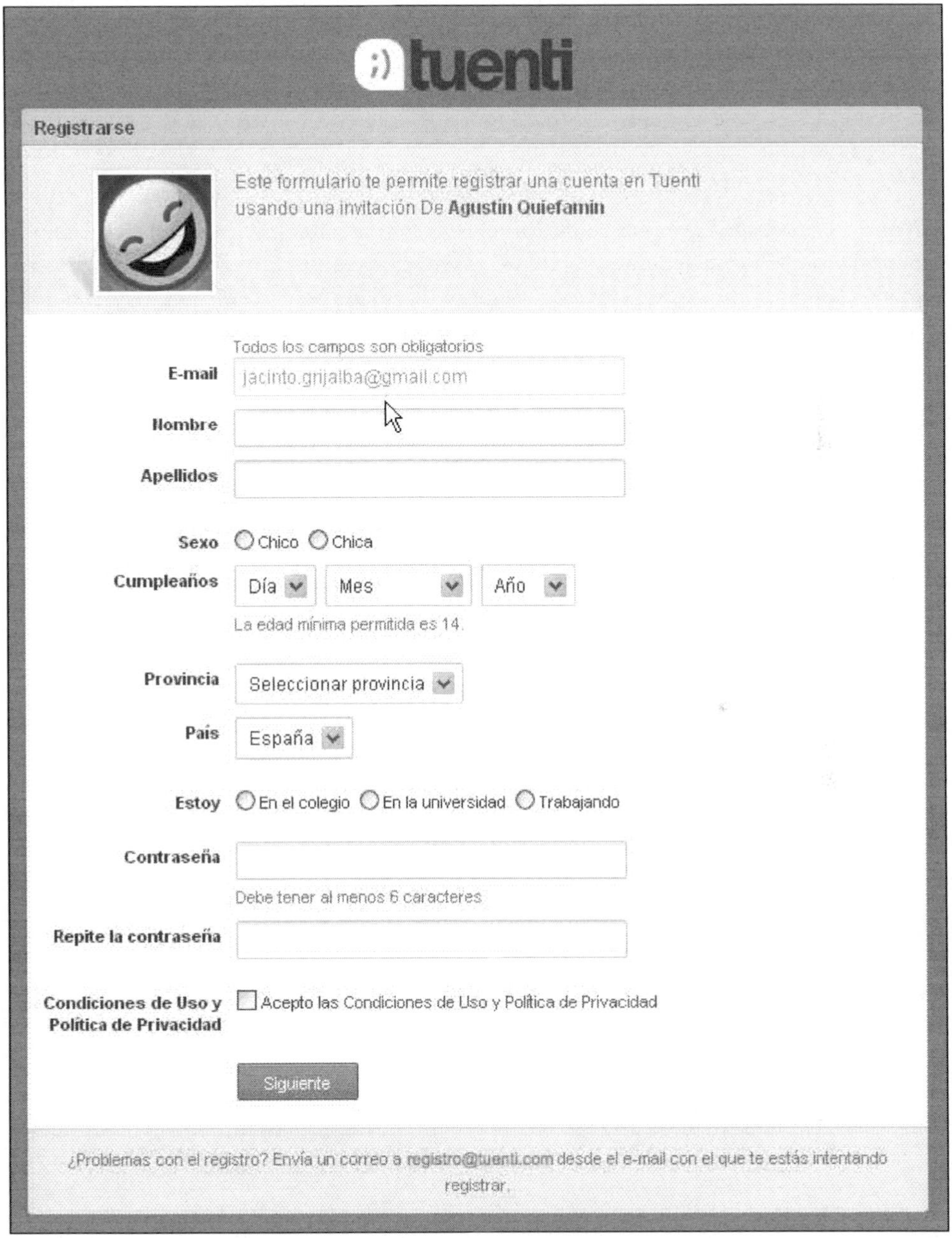

Figura 4.4. Formulario de registro

Tras recibir el correo de invitación y llegar al proceso de registro, comience a introducir sus datos personales. Al rellenar los datos que se exigen en el formulario y seguir el asistente de registro, aparecerá cargada la página principal de Tuenti. En ese momento, sólo tendrá un amigo agregado, que es aquél que realizó la invitación.

> **Nota**: el proceso de registro que le llega al correo nunca le pregunta por datos bancarios y es gratis unirse. Sólo se piden datos que se pueden compartir de manera segura sin comprometer sus datos financieros ni documentos oficiales de identidad. Tenga cuidado con correos fraudulentos.

4.2.2 Primeros pasos de configuración

La interfaz privada de Tuenti es la que nos permitirá configurar aspectos de la vista pública de su cuenta que interactúa con el mundo. La interfaz privada se encuentra una vez que inicie sesión en el portal de Tuenti. Tendrá un menú compuesto por varias pestañas a lo largo de la parte superior del portal y al lado del logo de Tuenti.

El primer paso en la configuración de su cuenta es el de añadir sus primeros amigos. En el lado derecho del portal verá un panel llamado **Añadir amigos**. Esta aplicación del portal le permitirá entrar en sus cuentas de correo o servicios de chat como Yahoo! o MSN Messenger, para encontrar a sus contactos, gente que también participa en Tuenti. Es una manera rápida de agregar a las amistades que ya tiene establecidas. Cuando comience a tener más amigos, para facilitar la gestión de sus contactos, dispone de un buscador en el menú superior que los puede localizar fácilmente.

> **Nota**: Recuerde que la gente que añade no se convierte en su amigo inmediatamente. Debe esperar que le confirmen la amistad antes de que pertenezcan a su red social.

Figura 4.5. Barra superior de herramientas

Siguiendo con la barra de herramientas, en el extremo derecho encontrará la opción **Mi cuenta**. Haga clic en este enlace y llegará a la sección administrativa de su cuenta. Dentro de esta sección podrá configurar sus datos personales y elegir entre varias opciones de   preferencia y privacidad. Para conocer mejor estas funciones se van a describir brevemente las pestañas que aparecen en este formulario:

- **Mi información personal**: esta opción permite editar la foto principal que se mostrará en la interfaz pública (aunque ésta no es la única vía que existe para realizar esta tarea). En esta sección también se permitirá cambiar la información personal que comparte con el mundo. Algunos campos interesantes en este formulario podrían ser la posibilidad de insertar una o varias páginas Web además de sus números de teléfono. Algunos preferirán mantener su privacidad, pero para empresarios y emprendedores de la red es esencial mantener un perfil abierto y detallado por motivos publicitarios. Según vaya obteniendo más visitantes, se promocionará su sitio Web y también es un método para compartir un teléfono de atención al cliente.

Figura 4.6. Mi información personal

- **Mis intereses**: en esta opción se permite añadir más datos personales acerca de los intereses del usuario para compartir con el resto de usuarios en Tuenti. Puede decidir compartir sus aficiones, grupos musicales favoritos o citas famosas entre otras cosas. Si una persona conectada a Tuenti desea obtener nuevas amistades, no es mala idea completar estos campos y atraer a otros que puedan compartir sus mismos gustos.

- **Redes**: esta pestaña permite configurar dónde está o ha estado el usuario. Están clasificadas según etapas de la vida estudiantil y profesional en la que se encuentre ahora o se encontró hace años. Estos campos está bien rellenarlos si nuestro objetivo es encontrar a más gente que pertenezca a las mismas redes que nosotros.

  Especifique el colegio o instituto en el que estudió para encontrar a sus amistades de la infancia. Escriba su universidad o residencia universitaria para coordinar los eventos estudiantiles. Las empresas también se benefician al crear redes de colaboración profesional. Una vez introducidos estos datos, diríjase a su perfil mediante el enlace en el menú principal de opciones. En esta sección aparece el recuadro **Redes**, en el que aparecerán enlaces que le dirigen a listados de gente que pertenecen a esa misma red.

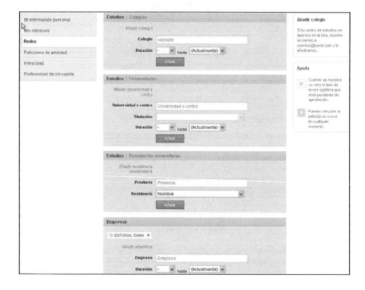

Figura 4.7. Especifique sus redes sociales

- **Peticiones de amistad**: aquí aparecen los listados de amigos pendientes de confirmación o aquéllas que no se han aceptado. Todas estas peticiones aparece siempre con la foto principal del otro usuario, junto con su nombre y un mensaje que podrían haberle escrito.

- **Privacidad**: en esta opción se permite configurar los permisos de visibilidad que tendrá el resto de usuarios de Tuenti sobre su perfil. Se listan diversos ámbitos configurables con el tipo de audiencia que permiten. Para ayudar a mantener la privacidad, podrá elegir su audiencia entre las opciones: **Sólo mis amigos**, **Amigos de amigos**, **Todo Tuenti** o **Nadie**. De esta manera, puede configurar los siguientes ámbitos interactivos:

  o Ver mi perfil y mis fotos

  o Ver mi tablón

  o Descargar mis fotos

  o Enviarme mensajes

  o Ver mis números de teléfono

Figura 4.8. Configure las opciones de privacidad

En esta sección encontrará dos recuadros más:

- **Usuarios bloqueados**: en este recuadro se encontrará a los contactos que se haya querido bloquear y que por ello no podrán visitar ni interactuar en su perfil público. Si en un momento dado se quisiera desbloquear a algún usuario, se deberá realizar desde aquí.

- **Fotos bloqueadas**: aquí se listarán las fotos en las que no desee que le identifiquen mediante etiquetas. Opción muy útil para que no aparezcan relacionadas a su perfil las fotos que no le gusten y prefiera que no sea encontrado mediante un buscador. Si en un momento dado quisiera desbloquear alguna foto, se deberá realizar desde aquí.

- **Preferencias de mi cuenta**: esta última pestaña le permite cambiar aspectos generales de la cuenta de usuario, como su nombre, contraseña y sus datos personales. Tenga en cuenta el botón **Desactivar cuenta** situado al final de esta página. Utilícelo cuando esta red social ya no le sea útil.

4.2.3 La vista de inicio

Esta vista aparece por defecto al iniciar sesión en Tuenti. Está diseñada para navegar y ver todo lo relacionado a sus eventos y revisar las novedades de otros usuarios en Tuenti.

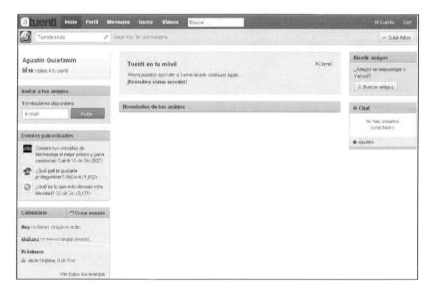

Figura 4.9. La página de inicio en Tuenti

Novedades en Tuenti

Al inicio de su sesión, dentro del recuadro de usuario, aparecen todos aquellos mensajes privados, invitaciones y otras notificaciones recibidos de otros usuarios en Tuenti. Se muestran como enlaces verdes debajo de su contador de visitas y suministran un resumen de actividades ocurridas mientras no estaba en el portal.

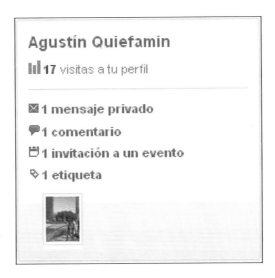

Figura 4.10. Notificaciones y mensajes recibidos

En el centro de la página de inicio podrá encontrar un espacio dedicado a las novedades de sus amistades en Tuenti. Aquí aparecen listadas las notificaciones de gente que le ha confirmado como amigo suyo. Estas novedades son cambios que otros usuarios de Tuenti han tenido en sus perfiles públicos. De esta manera se puede tener un mejor seguimiento sobre cómo han evolucionado los contactos de su red social o responder a las conversaciones. Las principales notificaciones que verá son las siguientes:

- Los comentarios realizados en el perfil público.

- Nuevas fotos donde identifican al contacto mediante etiquetas.

- Los nuevos amigos que han confirmado sus amistades actuales.

- Cambios en la foto principal de otro usuario.

- Actualización de estado del usuario.

La actualización del estado de amistades es lo que seguramente verá más en esta sección, de la misma manera que los otros usuarios verán sus actualizaciones de estado en su vista de inicio. Esto lo puede hacer escribiendo un mensaje en el campo a rellenar que aparece al lado de su foto de perfil. La actualización de estado es la manera principal de comunicación en Tuenti.

Eventos

Además de notificaciones y novedades, puede gestionar eventos creados por uno mismo o recibidos de otros. Estos eventos pueden incluir los cumpleaños de amistades, fechas importantes de reunión con colegas o bien beneficios sociales y conciertos. Puede ordenar éstos por fecha de tal manera que Tuenti le ayudará a organizar sus actividades y las destacará en su sesión el día que ocurran además de recordarle los próximos eventos que se aproximan. Puede localizar estos eventos en el panel **Calendario** a la izquierda de la página.

Este medio de comunicación masivo permite enviar una invitación a las amistades elegidas mostrando la información del evento tanto como la fecha y la hora de cuándo ocurre. A su vez y si así se ha configurado, los amigos invitados pueden invitar a su vez a otros usuarios de la comunidad. De esta manera, se pueden utilizar las redes sociales de otros para reunir incluso a más gente. Esta utilización de Tuenti es una de las mejores formas que tiene para atraer gente y atención. No tiene por qué ser un evento físico donde asistir, son muy variados los motivos que existen para la creación de un evento. Puede ser una empresa que quiera enviar información publicitaria de sus productos, un usuario que quiera dar a conocer un escándalo ocurrido en su localidad o simplemente quiera que todos sepan su fecha de cumpleaños.

Los eventos pueden recibir comentarios por aquellas personas invitadas. Estos comentarios hacen que esto sea un medio dinámico y permita conocer la opinión de otros usuarios en Tuenti. Al entrar a la página de un evento, verá a la derecha una gráfica con los usuarios invitados clasificados según hayan aceptado, rechazado o no hayan contestado la invitación. Debajo de esta estadística aparecerá un listado de la gente que participa contestando a la invitación.

Figura 4.11. Página de evento

Para crear un evento, en el panel de **Calendario**, haga clic en **Crear evento**. Éste abrirá un formulario que pide rellenar el nombre, fecha y lugar del evento. Es aquí donde podrá configurar si a este evento en concreto se les permite a nuestras amistades invitar a más amigos. De manera alternativa, sólo el creador del evento puede invitar a gente de su red social.

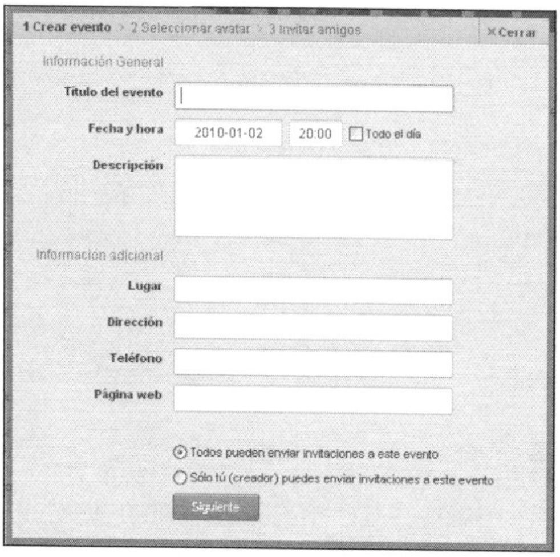

Figura 4.12. Creando un evento

También existe un recuadro dedicado a eventos patrocinados por Tuenti. Éstos funcionan igual que los eventos normales, a excepción de que para crearlos habrá que pagar una cierta cantidad de dinero y son enviados a todos los usuarios de Tuenti. A diferencia de un evento normal, éste no llega al área de notificaciones y pasa directamente a residir en el recuadro **Eventos patrocinados**.

Chat

Existe una incorporación realizada hace poco en Tuenti que consiste en un servicio chat para hablar con sus amistades en tiempo real. Puede ver a los usuarios conectados desplegando la lista de contactos con el botón **Chat**, situado en la esquina superior del portal. Elija a un usuario para comenzar a escribirle mensajes o bien espere a que alguien le hable primero. Independientemente de quién inicie la conversación, aparecerá en el navegador un botón con la imagen del otro usuario. Al presionar dicho botón, aparecerá la ventana de conversación privada.

Si se desea iniciar sesión en Tuenti pero aparecer como usuario desconectado en el chat, diríjase a la barra de menú y haga clic en **Chat** > **Ajustes** > **Desconectar**. Si lo que desea es aparecer como desconectado para una serie de usuarios, basta con acudir a la otra opción situada en **Chat** > **Ajustes** > **Ajustes de**

bloqueo. En la ventana que aparece se deberá seleccionar qué usuarios son los que se quiere restringir el chat su usuario. Mientras esté bloqueado un usuario, no podrá ver el estado de conexión ni enviar mensajes entre los dos.

Figura 4.13. Ventana de chat

4.2.4 Mensajería Tuenti

La pestaña **Mensajes** del menú de opciones le llevará al servicio de mensajería interna del portal. Aquí verá todos aquellos mensajes que se han recibido y se han escrito a otros usuarios de la red Tuenti. Similar a un sistema de correo en funcionamiento aunque sólo funciona dentro de la red social de Tuenti. La interfaz no es complicada y a diferencia del correo electrónico, se mantienen los hilos de conversación.

Figura 4.14. Hilo de conversación en la sección de mensajes

4.2.5 Buscando a gente

Cuando empiece a crecer su red social en Tuenti, querrá tener una manera de gestionar la agenda de amigos. Diríjase a la pestaña **Gente** en el menú principal de opciones. Dentro de esta sección podrá realizar búsquedas de usuarios pertenecientes a la red Tuenti. Estas búsquedas se pueden filtrar para sólo incluir a su grupo de amigos, los amigos de amigos o bien todos los usuarios que pertenecen a Tuenti.

Todos los usuarios pueden ser buscados y son listados con la foto y datos de su perfil público. Al presionar el nombre del usuario en el listado de resultados, será redirigido directamente a su perfil. Recuerde que estará restringido por las políticas de privacidad que haya configurado el otro usuario, por lo que puede ser necesario ser su amigo antes de poder ver su perfil. Tenga también en cuenta que aquellos usuarios que bloquearon al suyo no serán mostrados en su lista de resultados.

Figura 4.15. Buscando a gente en Tuenti

4.3 GESTIONANDO LA VISTA PÚBLICA

A diferencia del apartado anterior, ahora nos vamos a centrar en todo aquello que un usuario Tuenti puede ver sobre nuestro propio perfil. De la misma manera que ha buscado información de otros, tome en cuenta que su información también es compartida para que otros le puedan conocer. En este punto, mientras que es bueno compartir para generar amistades en la red, recuerde "tener cautela con el tipo de información que comparte" en la red. Por el lado contrario, recuerde compartir cosas interesantes para obtener más atención. Dedique tiempo en pensar qué maneras puede hacer su perfil más interesante e incluso útil a los otros usuarios de Tuenti.

4.3.1 Perfil de usuario

Será de gran importancia tomar en cuenta las opciones de privacidad que configure. Un usuario cuya política de privacidad sea que sólo sus amigos puedan ver su perfil público, bloqueará al resto de usuarios de Tuenti y se limitará a mostrar un resumen del usuario acompañado de la opción de **Añadir como amigo**.

El resumen se compone de una foto principal que aparece con los colores atenuados y su nombre. Aparecerá también la ubicación territorial del usuario, los centros de estudios donde ha estado y por último tres botones, los cuales permiten enviar un mensaje privado, agregar al usuario como amigo, o tomar acción en contra del usuario como bloquearlo de su red social o bien denunciarlo por uso inapropiado del portal.

Figura 4.16. Resumen de usuario

Accediendo a la pestaña de **Perfil** en el menú de opciones, podrá ver la información pública que uno mismo comparte con el resto de usuarios en Tuenti. Es desde aquí donde se configuran todos los aspectos relacionados con lo que se quiere mostrar a los demás. Desde aquí se configurará la vista de su usuario al público y cómo los demás usuarios en Tuenti pueden interactuar con su perfil. Entre otras cosas, decidirá si pueden añadir comentarios o etiquetar las fotos subidas.

Figura 4.17. Perfil de usuario

Datos personales

A la izquierda de la página de perfil existen varios apartados que muestran información relacionada al usuario. Esta información se puede personalizar desde la opción de menú **Mi cuenta**, anteriormente explicada. Un usuario que tenga permisos de **acceso** a su perfil podrá ver:

- Las redes sociales a las que pertenece el usuario.

- Información personal como el estado civil, sexo y fecha de nacimiento.

- Intereses personales del usuario.

Amistades

En la parte derecha de la página de perfil, aparecen listados algunos de los amigos de Tuenti que han tenido novedades. Los amigos van apareciendo en este recuadro según la actividad que han tenido. Los amigos con más novedades aparecerán primero y el resto estarán escondidos del listado.

En esta vista aparecen hasta 10 amigos con su foto principal, junto a las novedades reflejadas a través de un icono distintivo. Los posibles iconos que pueden aparecer como novedades en su perfil público están siempre unidos a un número que indica cuántas novedades hay de lo que se muestra en ese icono. Los iconos y su significado se muestran a continuación:

💬1   Indica que hay un nuevo comentario en el tablón público del usuario.

🖼1   Indica que hay una nueva foto etiquetada en el perfil del usuario.

👤1   Indica que el usuario ha agregado a un nuevo amigo.

Figura 4.18. Usuario con novedades

Mi espacio personal

Además de contar con el tablón público para dejar que otros interactúen con su perfil, se ofrece una sección titulada **Mi espacio personal**. Esta parte permite configurar un *blog* para escribir sus pensamientos y compartirlos con el mundo. Puede agregar vídeos que pueden ser vistos por aquellos usuarios que tengan permiso de acceso a nuestro perfil.

Para escribir una nueva entrada, haga clic en el enlace **Nueva entrada** situado en la barra de título de esta sección. El recuadro cambiará al formulario a rellenar con un título y el texto que formará parte de la vista principal de su perfil. En este apartado también se permite añadir vídeos que se encuentren en YouTube. Introduzca el enlace URL del vídeo en YouTube dentro del campo de texto y cuando publique su entrada, se mostrará su entrada de *blog* junto a un icono con vista previa del vídeo añadido, que también es reproducible dentro de Tuenti.

Figura 4.19. Escriba una nueva entrada en su espacio personal

Fotos en las que salgo

Una de las funcionalidades que busca la gente en aplicaciones de red social es la de poder compartir sus fotos. Tuenti no es la excepción y agrega también la funcionalidad de etiquetar las imágenes para identificar a los usuarios. Dentro de su perfil, existe el recuadro titulado **Fotos en las que salgo**. Aquí aparece la actividad más reciente con las fotos subidas por uno mismo o fotos donde haya sido identificado y etiquetado con su nombre de usuario. En la barra de título de este recuadro tiene la opción **Ver álbumes**, que le permitirá acudir a las colecciones de fotos donde aparece.

El concepto de etiquetar se entiende en Tuenti como recuadrar una zona específica en una foto (por ejemplo la cara de alguien) e identificar dicho recuadro etiquetándolo con el nombre de un usuario. De esta manera, cualquier persona en su red social podrá identificar de manera fácil a la gente cuando su nombre se destaque en la imagen. Este método de categorización también crea una organización efectiva donde es fácil buscar a un usuario en particular.

> **Nota**: este sistema de relacionar a usuarios a una foto también permite la participación masiva de gente al etiquetarles en la imagen aunque no aparezcan. El objetivo de esta peculiaridad será que vean la foto subida al aparecer ésta en su perfil.

Si desea subir fotos a su perfil y etiquetar a la gente, acuda al botón **Subir fotos** que aparece en la barra de menú en la parte superior de la página. Aparecerá un formulario que permitirá elegir entre dos métodos para subir sus imágenes. El primer método es el **sistema de subida básico**, en el cual se permite elegir cinco fotos diferentes especificando la carpeta donde reside cada una dentro de su ordenador.

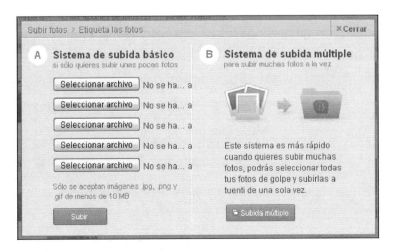

Figura 4.20. Seleccione el método de subida de ficheros

El segundo método es el **sistema de subida múltiple** que ayudará a subir muchas más fotos en menos tiempo, una herramienta indispensable para aquéllos que suben imágenes constantemente. Al elegir esta segunda opción, aparecerá un asistente dividido en dos recuadros, en el primero se muestran las carpetas para ir explorando los ficheros. Localice sus imágenes y aquéllas que quiera subir las puede dejar seleccionadas. Una vez que haya terminado de seleccionar las imágenes a subir dentro de la carpeta, presione el botón **Añadir selección** e irán apareciendo en el segundo recuadro como las fotos elegidas para ser subidas. Para finalizar, simplemente presione el botón **Subir a Tuenti** y empezará el proceso de subida.

Nota: el método de sistema de subida múltiple requiere la instalación de componentes de terceros. Estos requisitos pueden variar según navegador y sistema operativo. Uno de esos componentes es Java, un software bastante común que si no lo tiene, puede obtenerlo en *www.java.com*. Otro es el componente ActiveX, que permite la navegación en el sistema de ficheros de Windows. Si le falta alguno de estos componentes, se le pedirá permiso para instalarlo de forma automática.

Figura 4.21. Suba múltiples imágenes a Tuenti

Mientras se suben las fotos, Tuenti le permitirá seguir navegando en el portal, pero no cierre su navegador hasta que haya finalizado el proceso. Cuando se haya subido alguna foto, se permitirá personalizar su título y se podrá etiquetar a los amigos usuarios en Tuenti. Es importante saber que cuando se sube una foto, se debe etiquetar uno mismo puesto que de lo contrario cuando alguien realice algún comentario, Tuenti no nos avisará de esa novedad, pese a que la foto es nuestra.

Cada vez que se configure el título de una foto, justo a su derecha se permitirá añadir la foto a un álbum creado, o en su defecto, crear un nuevo álbum y añadir dicha foto cuando se haya creado. De esta manera se podrán clasificar las fotos para que los demás usuarios con permisos de acceso sobre nuestro perfil puedan ver las fotos según esta clasificación.

Cuando se navegue entre las fotos que posea o en otro caso, cuando navegue entre las fotos subidas que sean suyas o de otros, a la derecha aparecerán los usuarios identificados y etiquetados. Haga clic sobre alguno de estos usuarios y si tiene permisos de acceso, será redirigido al perfil público del mismo.

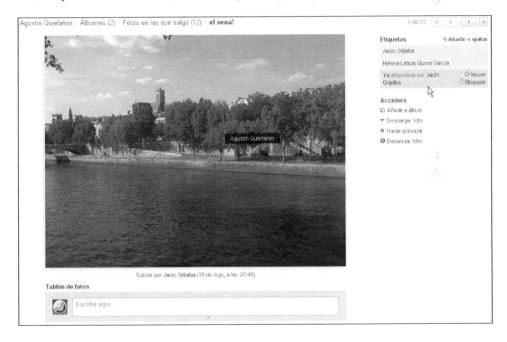

Figura 4.22. Las imágenes etiquetadas en Tuenti

Nota: a veces encontrará fotos en las cuales no quiere que se le etiquete. En la página de la imagen que no le gusta, en el listado de etiquetas aparece una como: **Yo etiquetado por [Usuario Tuenti]**. Al lado de esta etiqueta tiene la opción **Bloquear**. Cuando activa esta opción, no se permitirá a otros usuarios etiquetarle en la imagen. Mientras que seguirá siendo reconocible por algunos, no será identificado por todos y por la imagen no podrá ser buscado.

4.4 CONSIDERACIONES A TOMAR Y CONCLUSIÓN

Tuenti es una comunidad divertida con la cual participar pero al igual que el resto de las redes sociales, es importante tener cautela en su uso. Recuerde que está compartiendo información con el resto del mundo. Configure su política de privacidad para que sólo le conozcan personas de su confianza. Al igual que con su correo, tenga cuidado con el fraude de identidad y no facilite información sensible de su persona.

Es normal que especifique la misma contraseña que aquélla usada en su cuenta de correo. Mientras que esto simplifica la gestión de múltiples cuentas, si por algún motivo la cuenta de login de Tuenti o de su correo es robada, el atacante o persona maliciosa tendrá acceso a ambas plataformas y a sus preciados datos personales. Utilice administradores de contraseña si no quiere recordarlas todas, pero no utilice la misma contraseña para todas las redes sociales y servicios de Internet a los cuales pertenezca.

Ante todo, recuerde que está bajo la mirada de todos en Internet. Hay que darse a conocer con información que no le comprometa y guardarse para uno la mayor cantidad de información privada posible. Si publica una foto inapropiada, por ejemplo, ésta será juzgada y usted podría salir perjudicado. Mientras que es entretenido publicar las fotos de las fiestas más salvajes con sus colegas y amigos, esto puede tener una mala repercusión en empresas que sólo desean contratar a gente seria de trabajo. Una foto implicándole en una fiesta de solteros desenfrenados no suele demostrar ese tipo de seriedad.

La red de Tuenti realmente es bastante completa y cuenta con los medios necesarios para no sólo pasar un buen rato, sino también para crear una plataforma sobre la cual puede dirigirse a miles de personas. Dedique su tiempo a pensar en algo interesante y diferenciador del resto y que motive a la gente a participar. Mantenga sus contenidos actualizados e interactúe con el resto de usuarios. Siempre tenga cautela, pero ante todo, páselo bien.

Capítulo 5

TWITTER

5.1 INTRODUCCIÓN

En este capítulo repasaremos qué es Twitter y en qué consiste este tipo de red social llamada *microblogging*. Haremos una breve introducción acerca de sus orígenes y evolución y posteriormente le enseñaremos de forma detallada la creación de un perfil, además de su configuración, uso y optimización de forma que pueda sacar el mayor partido del tiempo que invierta en él.

5.1.1 ¿Qué es el microblogging?

La mejor forma de definir el concepto de *microblogging* sería compararlo con la red de mensajería de texto en el móvil o servicios SMS como se le conoce. Se puede considerar como extensión o variante del tradicional *blog*, pero minimizado de manera que cada artículo o entrada no pueda superar un número máximo de ciento cuarenta caracteres. Esto fuerza al usuario a decir lo que más pueda con la menor cantidad de palabras posibles.

La pregunta surge muy a menudo: ¿qué puede expresar a los demás con tan pocas palabras? Aparentemente cualquier cosa, dado que Twitter es uno de los éxitos más grandes dentro de las redes sociales. Lo que cambia es la forma de expresar las ideas, mensajes grandes reducidos al tamaño mínimo. Aquéllos que estén acostumbrados a enviar de forma habitual mensajes entre teléfonos móviles serán completamente conscientes de ello.

Twitter no es la única red social que se enfoca al *microblogging*. Existen otros servicios como identi.ca o Jaiku de Google que permiten comunicarse entre amigos de la misma manera. Sin embargo, nosotros nos dedicaremos a estudiar sólo lo que se puede realizar dentro de Twitter.

5.1.2 ¿Qué es Twitter?

Twitter me permite saber de mucha gente en muy poco tiempo.

– Robert Scoble, *blogger*

No mucha gente entiende cómo funciona este portal ni cómo empezar a interactuar en este entorno. Aun así, sin saber qué rumbo toman, millones de personas se han unido para escribir *tweets* y compartir con los demás en temas desde los más serios, hasta lo más mundano y sin sentido.

Twitter comenzó a funcionar en el año 2006, aunque inicialmente se nombró Twttr, emulando el nombre de la red social de imágenes, Flickr. Fue un proyecto centrado en la idea de Jack Dorsey, que pretendía conocer en tiempo real lo que sus amigos estaban haciendo. Su primera idea se basaba únicamente en el estado o humor de cada usuario (trabajando, de fiesta, durmiendo…) y fue desarrollado por la empresa Obvious. Su popularidad creció tan rápidamente que fue necesaria una reestructuración de la empresa y recursos, hasta que en 2007 se fundó como la empresa Twitter Incorporated en California. Desde entonces ya supera los cincuenta millones de usuarios. Finalmente, en el año 2009 fue traducido al español por un grupo de usuarios voluntarios para expandir la red social a la comunidad latina e iberoamericana.

Twitter se utiliza hoy en día también como plataforma de campañas y comunicación masiva. Las populares campañas de personajes de gran trascendencia la han convertido en la reina de estas redes. Personas y celebridades como Barack Obama, presidente de EE.UU., han utilizado Twitter con gran éxito para promocionar sus campañas y obtener la fama que necesitan para cumplir sus objetivos, como el de ser presidente.

En este mismo ámbito, se utiliza para promocionar eventos como inauguraciones de locales, discotecas y demás eventos. Esto demuestra el gran poder de convocatoria que tiene esta red social al poder anunciar estos mensajes a miles de personas en poco tiempo. Ya hay muchos emprendedores musicales, políticos y escritores además de grandes celebridades que disponen de su cuenta en esta red. Utilizan Twitter como plataforma para mantener informados a sus seguidores de sus eventos, últimos acontecimientos y opiniones que mantengan el interés de su público.

5.1.3 La comunidad en Twitter

La comunidad es algo particular y no sólo se compone de famosos y sus seguidores. Es un mundo propio que incluye hasta su propio lenguaje. Las entradas o mensajes en Twitter, por ejemplo, se denominan *tweets*. Su inclusión en esta comunidad empieza respondiendo a la pregunta, "*¿qué estás haciendo ahora?*". Mucha gente responde a esta pregunta mediante *tweets* y utiliza este medio para contar a sus amigos lo que están haciendo en cada momento. Algunos mensajes son cotidianos y otros son noticias estremecedoras. Considere algunos ejemplos:

- *"Nueva posición en Red Monk. ¡La propuesta laboral fue hecha y aceptada vía Twitter!"* – Tom Raftery, analista. Encontró un trabajo por una empresa en esta red social. Muchos como él buscan empleo publicitándose en redes sociales como Twitter.

- *"¿Listos para celebrar? Prepárense: ¡¡¡tenemos HIELO!!! ¡Sí, HIELO, *HIELO de AGUA* en Marte! ¡w00t! ¡El mejor día de mi vida!"* – MarsPhoenix, sonda espacial construida por la NASA. Cuando encontraron agua en el planeta rojo, la noticia fue publicada por primera vez vía Twitter, rompiendo con los tradicionales métodos de anunciar noticias.

- *"Simplemente configurando mi twttr."* – Jack Dorsey, fundador de Twitter. El primer mensaje publicado en este portal, demostrando que no siempre tienen que ser mensajes profundos.

Este sentido de inmediatez en las comunicaciones entre su círculo de amistades se puede conseguir de manera muy eficaz utilizando algunas herramientas que ofrece Twitter y empresas colaboradoras. Considere que puede hacer llegar esta red al dispositivo móvil, PDA, ordenador portátil y hasta en cadenas televisivas, como CNN que utiliza Twitter para aceptar opiniones de sus espectadores. El servicio de Twitter es portable y lo puede gestionar desde su ordenador tanto como desde su dispositivo móvil. Esta característica ofrece posibilidades más amplias para la comunicación instantánea, esté donde esté.

Nota: existen algunas aplicaciones que se complementan o incluso mejoran su experiencia con Twitter. Considere estos ejemplos:

- Existen multitud de aplicaciones que permiten manejar Twitter de forma cómoda en el Mac, PC o iPhone. Tweetie para Mac, Twitterific o Twinkle para iPhone y Blu para Windows.

- Twitpic (*twitpic.com*) es un servicio Web que permite compartir fotos de forma automatizada con sus seguidores en Twitter. La gente utiliza este servicio como una especie de fotolog (diario de tu vida diaria mediante fotografías).

Existe la posibilidad de seguir las actualizaciones de otras personas convirtiéndose en uno de sus *seguidores* (*followers* en inglés). Cuando se subscribe a una cuenta en particular, recibe todos los *tweets* que realiza. Estas entradas serán publicadas en su página de inicio de Twitter tras acceder mediante su nombre de usuario y contraseña. Cuanto mayor sea el número de seguidores que obtenga, más repercusión tendrá su perfil social y obtendrá más capacidad de impacto. Los grandes personajes de los que hemos hablado tendrán entre miles y millones de seguidores en sus cuentas de Twitter.

Para lograr un gran número de seguidores se utiliza una de las principales premisas de la red de redes: sea generoso, comparta y conseguirá de la misma forma que otros compartan con uno mismo. Claro está que esta premisa no cuenta únicamente en la red Internet, sino que contará igualmente en el "mundo real".

Y, ¿cómo ser generoso en Twitter? Pues encontrando otras personas que tengan mayor o menor afinidad y haciéndose seguidor de ellas. Estas personas a las que siga se convertirán en *seguidos* (*followings* en inglés). Cuando alguno de éstos reciba una notificación de que están siendo seguidos por usted, mirarán su perfil y decidirán convertirse también en sus seguidores: compartir para recibir. Lo más importante, sin embargo, es simplemente ser interesante.

Nota: cuando escriba mensajes, haga un uso inteligente de las etiquetas **#hashtag** en el contenido de sus mensajes. Estas etiquetas se crean y utilizan simplemente precediendo una palabra de etiqueta con una almohadilla (#), por ejemplo: **#terremotomadrid**. Antes de utilizarlas sería conveniente hacer una búsqueda de los temas del momento para ver de lo que se está hablando principalmente en Twitter. Mediante el uso de estas etiquetas se crean los temas de interés y comienzan las discusiones y debates.

5.2 CREANDO SU CUENTA EN TWITTER

En el siguiente apartado se iniciará a utilizar Twitter mostrando cómo crear un perfil. Luego de crear éste, se repasarán las opciones más comunes de configuración de una manera sencilla explicándolo con mayor detalle mediante avance en el capítulo.

5.2.1 Creación de un nuevo perfil

Para comenzar a utilizar Twitter, lo primero que deberá hacer será crear una cuenta en este servicio gratuito de *microblogging*. Para ello, utilice su navegador Web favorito y acceda a la página principal de Twitter, *twitter.com*. En la página de inicio, encontrará el botón **Regístrate ahora**. Al presionar en éste, será llevado al formulario de registro.

Figura 5.1. Página de inicio en Twitter

Rellene sus datos en el formulario. Puede decidir no utilizar su nombre verdadero, aunque la gente responde mejor si decide no ser anónimo. Procure tener un correo electrónico que pueda utilizar para su cuenta en Twitter.

Sería aburrido entrar en Twitter y no tener ningún amigo. Por eso, se ofrece la posibilidad de introducir su dirección de correo electrónico habitual junto con su contraseña para intentar encontrar en su agenda contactos que puedan estar registrados también en Twitter. En este momento, Twitter ofrece la posibilidad de encontrar amigos en servicios como Gmail, Yahoo! y AOL.

Figura 5.2. Busque a sus amigos en su agenda de contactos

Posteriormente, se le ofrecerá ser seguidor de algunas personas que han tenido gran impacto en la red social de Twitter, a quienes denominan como los *twitterati*. Elija a algunos o simplemente a todos marcando la casilla **Seleccionar todos**, en la barra superior. Aunque no es recomendable inicialmente, puesto que será inundado de actualizaciones en el historial de mensajes de página de inicio. Si quiere, elija uno o dos para empezar tranquilamente.

Figura 5.3. Elija ser seguidor de los twitterati

Figura 5.4. Su página de inicio en Twitter

5.2.2 Configuración de cuenta

Ahora es el momento de revisar toda la configuración del perfil e introducir algunos datos más que mejorarán la apariencia y funcionalidad del mismo. A través del menú situado en la parte superior derecha, haga clic en el enlace **Configuración**. Será redireccionado a la página principal de configuración de cuenta. Aquí encontrará enlaces a subsecciones para configurar diversos aspectos de su cuenta de usuario. A continuación se explica qué puede hacer en cada sección:

- **Cuenta**: cuando entre en la página principal de configuración, se encontrará por defecto en esta sección. Aquí se le suministrarán la mayoría de opciones más interesantes a configurar. Además de poder cambiar sus datos como su nombre y configurar la zona horaria, se le ofrece la posibilidad de introducir una URL a su página Web o *blog*. Utilice este campo para que otras personas puedan visitar su sitio Web y ampliar su audiencia. De la misma manera, existe un enlace Web que le indicará qué posibilidades de integración existen en las otras redes sociales con Twitter. Descubra aquí qué aplicación en Facebook puede utilizar para sincronizar entradas o bien instale un recuadro en su blog para que la gente vea sus últimos *tweets*.

Figura 5.5. Integre Twitter en su página Web

Más abajo, puede optar por proteger sus *tweets* para que éstos sean visibles solamente para la gente a la que usted autorice. Esta opción se ofrece a gente que utiliza la plataforma para coordinar equipos internamente o bien para familias que simplemente quieren estar en contacto entre ellos mismos.

> **Nota**: completar la información de su perfil ayudará a obtener más seguidores. Es más probable que le encuentren, por ejemplo, si utiliza su nombre real o si introduce su ubicación geográfica.

- **Contraseña**: cambie su contraseña aquí. ¡Recuerde utilizar contraseñas seguras que sean difíciles de adivinar!

- **Móvil**: dependiendo de dónde esté ubicado, puede escribir *tweets* desde su móvil como si fuera un SMS y sin coste alguno. No todos los países tienen este servicio y también depende del operador telefónico que tenga contratado.

- **Avisos**: aquí puede seleccionar qué tipo de aviso desea recibir en su correo electrónico. Por defecto, están seleccionadas las opciones para recibir notificación cuando alguien decide seguirle o cuando reciba un nuevo mensaje dirigido a uno mismo.

- **Imagen**: en esta sección podrá cambiar su imagen para que le puedan identificar de manera más sencilla. Utilice una foto suya o bien un logo de su organización o grupo. Simplemente utilice la ventana de diálogo que aparece al presionar **Seleccionar archivo** y elija una imagen o logo en su ordenador. La imagen se reduce de tamaño automáticamente, no es necesario reducirlo uno mismo. Es mejor utilizar un retrato de su cara para añadir personalidad a sus mensajes.

Figura 5.6. Cambie su imagen de perfil

- **Diseño**: utilice esta sección para cambiar el fondo de su sitio y personalizarlo. Puede elegir de los diseños ofrecidos en Twitter, o si lo prefiere existen sitios como *http://colourlovers.com/themeleon/*, con más diseños disponibles. Puede también elegir un fondo de escritorio que tenga almacenado en su ordenador.

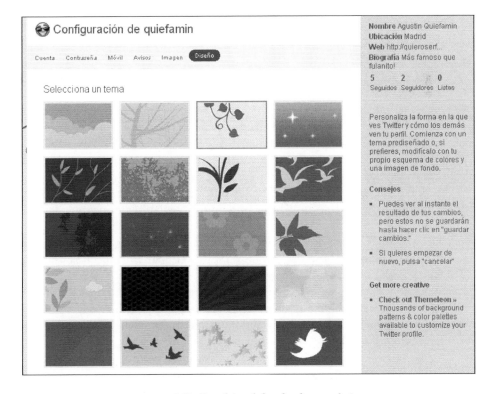

Figura 5.7. Cambie el fondo de su página

5.3 NAVEGANDO EN TWITTER

Ya creado el nuevo perfil de usuario, querrá navegar por la red social e interactuar con el resto de la comunidad. En el siguiente apartado se irán explicando algunas características de su perfil y se mostrarán funcionalidades que le puedan ser de ayuda además de mejorar su experiencia en Twitter.

5.3.1 El perfil de usuario

Ahora que ha configurado su nueva cuenta y perfil, es el momento de conocer las funciones que ofrece este portal de modo que pueda de mejor manera manejar la plataforma. Para comenzar, diríjase a la página de inicio de sesión. Si no está dentro de su sesión, valídese en la plataforma y se encontrará automáticamente dentro de su sitio Twitter. Estando en esta página de perfil, podrá ver el menú principal de opciones en la esquina superior de la página. Éste contiene las siguientes secciones:

- **Inicio**: utilice este enlace para volver a su página de inicio de sesión. Aquí podrá ver el historial de mensajes de sus seguidos, escribir nuevas entradas, gestionar sus listas de usuarios y comprobar sus estadísticas entre otras cosas.

- **Perfil**: esta página es la que aparece cuando otra gente hace clic en su nombre. Es muy similar a la página de inicio pero aquí sólo se verán sus propias entradas. Cuando vea el perfil de sus seguidores, tendrá acciones especiales como mandar un mensaje directo o *tweet* privado.

- **Buscar gente**: ¿está solo en Twitter? Utilice esta sección para buscar a personas por su nombre de usuario en la comunidad. Puede optar por utilizar nuevamente la herramienta buscadora de contactos en su correo electrónico, por si no lo hizo al principio o ver la gente recomendada por Twitter.

- **Configuración**: página en la que podrá modificar la configuración de su perfil como ya hizo en el apartado anterior.

- **Ayuda**: si tiene alguna duda y desea consultar, encontrará una sección de soporte donde puede hacer su pregunta. También existe una base de datos con las preguntas más frecuentes además de guías de introducción.

La página de inicio se divide en dos secciones, la parte principal es donde reside el recuadro de texto para escribir sus entradas. Justo debajo de éste, verá los *tweets* de sus seguidos. La columna a la derecha se compone de aplicaciones que le pueden ser de ayuda.

Recuadro de entrada

En él puede escribir nuevos *tweets*. Recuerde que está limitado a sólo 140 caracteres. A medida que vaya escribiendo en este recuadro, existe un indicador que le dice cuántos caracteres le quedan.

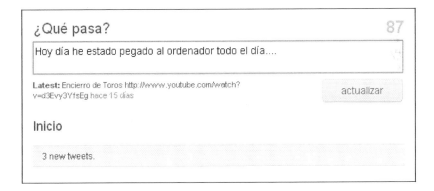

Figura 5.8. Escribiendo tweets

Menú lateral de usuario

En la barra lateral encontrará estadísticas básicas además de características que pueden facilitar el uso de su cuenta en Twitter. Dentro de estas características puede encontrar:

- **Datos de usuario**: estadísticas básicas del uso que ha dado a su cuenta. Cuántos *tweets* ha escrito, la cantidad de seguidores que tiene y a cuánta gente está siguiendo.

- **@suNombreUsuario**: este enlace le muestra todos los mensajes donde le mencionan por su nombre. A diferencia de los mensajes directos, estos *tweets* son vistos por todos.

- **Búsqueda**: también se ha incorporado una herramienta de búsqueda. Busque de forma rápida entradas relacionadas a algún tema en particular introduciendo las palabras clave a buscar.

- **Mensajes directos**: si alguien le ha mandado un mensaje directo o *tweet* privado, se indicará aquí. Considere ésta su bandeja de entrada en el portal.

> **Nota**: recuerde que sólo puede mandar mensajes directos a sus seguidores.

- **Favoritos**: este enlace permite ver aquellos *tweets* que se marcan como favoritos mediante una pequeña estrella que aparece al pasar el ratón sobre un *tweet*.

- **Retweets**: aquí podrá ver los *tweets* que sus amigos han encontrado y desean compartir.

- **Listas**: cuando tiene a muchos seguidos, su página de inicio se puede volver muy caótica al tener que estar repasando los mensajes de todos a la vez. Con las listas, puede crear categorías donde puede incluir las actualizaciones de las personas que quiera para organizar mejor los *tweets*.

- **Temas de moda**: esta última sección muestra los temas más candentes en Twitter. Cada mensaje entrante en el sistema es clasificado por su *hashtag(#)* o etiqueta. Twitter también registra las palabras en el mismo cuerpo del mensaje y recomienda búsquedas por las palabras clave más utilizadas.

Figura 5.9. Herramientas y organización

5.3.2 Interactuando en la red social

Una vez que se haya tomado el tiempo de explorar un poco el mundo según Twitter y se sienta más cómodo con la plataforma, empiece a dialogar escribiendo sus primeros *tweets*. Para comenzar, lo primero es conseguir a sus primeros seguidores. Esto es más fácil hacerlo con la gente que ya conoce. Si es un emprendedor Web, la tarea es un poco más difícil porque debe primero generar interés y confianza.

Para iniciar a buscar sus amigos, las principales herramientas de las que podrá hacer uso serán los servicios de búsqueda de usuarios del propio Twitter o bien el gigante Google. Si sus amigos no utilizan su nombre real, es un poco más difícil localizarles, pero lo más seguro es que tenga el contacto en su agenda del correo electrónico. Si es así, en el menú principal de navegación en la parte superior del portal, diríjase a la opción **Buscar gente**. Dentro de esta sección encontrará la herramienta para encontrar a sus amigos en su cuenta de correo electrónico como ha sido descrito en secciones anteriores.

> **Nota**: si está familiarizado con otras plataformas de redes sociales, estará acostumbrado a pedir la amistad de otros. En otras plataformas, sólo cuando la amistad está confirmada podrá empezar a interactuar con el otro. En Twitter, las amistades se convierten en **seguidos** y **seguidores**. Puede tener acceso a las actualizaciones de sus **seguidos** de manera inmediata, pero el otro usuario deberá hacerse **seguidor** suyo para completar el proceso y sólo así poder conversar en ambas direcciones.

Podría ser seguidor de algún *twitterati*, pero usualmente estas cuentas son para los admiradores de celebridades, equipos deportivos, grupos políticos y similares. Es decir, no espere que estas cuentas le correspondan en hacerse seguidor suyo. En vez de eso, utilice el buscador para encontrar gente que comparta sus intereses o busque *hashtags* de temas que le agraden. Para empezar con un ejemplo, introduzca en el buscador el hashtag **#interesante**. Éste sería un buen comienzo para iniciar a buscar gente.

> **Nota**: en su gran mayoría, la comunidad de Twitter habla en inglés y la plataforma está lentamente internacionalizando el sitio Web. Para empezar, diríjase a *http://twitter.com/twitter_es*. Ésta es la cuenta de Twitter en español. Aquí podrá hacer seguimiento de los nuevos acontecimientos de la comunidad y todo en español.

Utilización de hashtag

Si le agrada esta cadena de *tweets*, a lo mejor desea participar también en ella. Para empezar, al escribir el mensaje, asegúrese de introducir la etiqueta que quiera relacionar al *tweet* de la siguiente manera:

> **#interesante** Un documental muy bien hecho acerca de la corporación. *http://www.thecorporation.com/*

El mensaje es corto e interesante. En este caso el hashtag se ha introducido al comienzo, pero obtendría el mismo efecto si lo desea poner al final o en el medio del mensaje. No se debe limitar a un solo tema, puede incluir múltiples hashtag de la siguiente manera:

> **#interesante** Un documental muy bien hecho acerca de la corporación. *http://www.thecorporation.com/* **#film**

En este último ejemplo, el *tweet* se publicará en dos cadenas de temas distintos. Ésta es una buena manera para iniciar nuevas cadenas, ya que la gente que sigue **#interesante**, podría optar por utilizar la etiqueta **#film** al publicar películas interesantes.

Respuestas

Cuando vea *tweets* de amistades o de personas y quiera responderles, la misma entrada provee el enlace de **Reply**. Aunque resulta más sencillo anteponer el símbolo de arroba (@) al nombre de usuario que quiera responder para que la persona vea los mensajes donde le mencionan. Considere el siguiente ejemplo:

> @quiefamin Ese documental se ganó el premio de sundance. Una buena lección en la responsabilidad empresarial.

Cuando el usuario **quiefamin** entre para ver los mensajes donde le mencionan, verá ese último *tweet*. Nuevamente, como en el caso de los *hashtag*, puede poner más de un recipiente de respuesta mediante la @, y lo puede ubicar donde quiera en su mensaje.

Figura 5.10. Tweets donde hacen mención del usuario

Retweet

Una interesante función de Twitter consiste en reenviar mensajes de otros usuarios. Cuando encuentre algo que quiera compartir con sus amigos, utilice esta funcionalidad. Copie y pegue el mensaje original del otro y añádale "RT @" al comienzo. De esta forma respetamos que el mensaje que estamos escribiendo es un retweet. Ejemplo:

Mensaje original: **yadox** Llegan las fiestas navideñas de Lieja!

Mensaje retwiteado: **RT @yadox** Llegan las fiestas navideñas de Lieja!

No es en realidad una funcionalidad más que una convención de escribir el mensaje. Pero se ha vuelto muy popular el concepto y es una funcionalidad que va cambiando de a poco. Mucha gente está habituada a realizar el *retweet* de esta manera, aunque la plataforma tiene otra ya integrada. Cuando elija el mensaje, aparecerá la opción **Retweet** al lado de **Reply**.

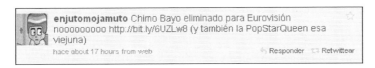

Figura 5.11. La opción de Retwittear aparece sobre el mensaje

El primer modo de realizar el *retweet* tiene el problema de que si distintos amigos suyos encuentran un *tweet* para compartir, verá el mensaje repetido en su historial de mensajes. Si utiliza el segundo método, sin embargo, la plataforma agrega los mensajes en un único lugar y muestra los usuarios que recomiendan el *tweet*.

Figura 5.12. Mensajes retwitteados

5.3.3 Reducción de enlaces Web o acortadores de URL

En este apartado se explicará el uso y sentido de los servicios acortadores de URL (o direcciones Web). Aunque este concepto pueda sonar complejo, es muy sencillo de explicar y de utilizar, pero deberá conocerlo para poder hacer uso de Twitter con seguridad y sencillez.

Como se ha explicado con anterioridad, existen muchas formas de decir casi cualquier cosa utilizando solamente ciento cuarenta caracteres. Por ejemplo, si quiere recomendar a sus amigos visitar un artículo escrito en una página Web determinada que le ha gustado, podrá incluir el enlace completo a ese artículo de modo que puedan visitarlo al recibir su *tweet* y hacer clic sobre él.

Debe comprender que estas redes de intercambio de mensajes no permiten el envío de archivos de ningún tipo (fotos, documentos, etc.) incluidos en los mensajes. Por ese motivo cualquier cosa que desee compartir deberá estar alojada en otro sitio de Internet (su blog, página Web, Flickr, etc.) y la única forma de poder compartirlo en Twitter será incluyendo el enlace a ese archivo dentro del mensaje.

El problema que esto puede plantear es que muchos enlaces a páginas Web o a archivos alojados en esas páginas son enormemente largos. Considere que quiere compartir el enlace *http://axxon.com.ar/noticias/2009/08/gigantescos-chorros-descargan-electricidad-en-la-atmosfera-superior/*. Éste utilizará gran parte de esos ciento cuarenta caracteres disponibles, y no dispondrá de muchos más para explicar el porqué de su recomendación. Para solucionar este problema, existen variados servicios acortadores de URL, como por ejemplo *tr.im,* que permitirá recortar el enlace anterior en forma de *http://tr.im/Hdey*. Esto lo deja en sólo diecisiete caracteres desde los ciento cinco iniciales, por lo que dispondrá de otros ciento veintitrés restantes para expresar lo que quiera.

Twitter utiliza actualmente el servicio acortador de URL de *bit.ly*, por lo que verá habitualmente los enlaces en forma de "*bit.ly/hash*", aunque anteriormente utilizaba otro llamado *Tinyurl*. Casi todos ellos ofrecen el mismo tipo de servicios.

> **Nota**: tenga cautela cuando haga clic sobre un enlace ofrecido, ya que de forma invisible para usted le llevarán a una página Web en la que inicialmente la dirección URL no la ha podido ver y podría tratarse de una página peligrosa o con publicidad engañosa.

A continuación se muestra cómo utilizar el acortador *bit.ly*. Abra la página de *bit.ly* introduciendo la dirección en su navegador Web.

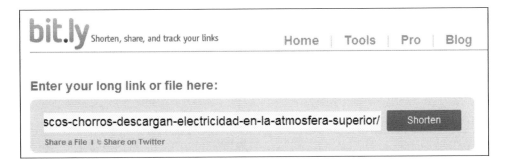

Figura 5.13. Introduzca el URL a acortar

Aparece un recuadro donde sencillamente se le pide introducir el enlace a recortar. Copie y pegue el enlace y tras introducirlo, presione sobre el botón **Shorten** y se le mostrará a continuación la nueva dirección generada que podrá copiar en el *tweet* que está creando.

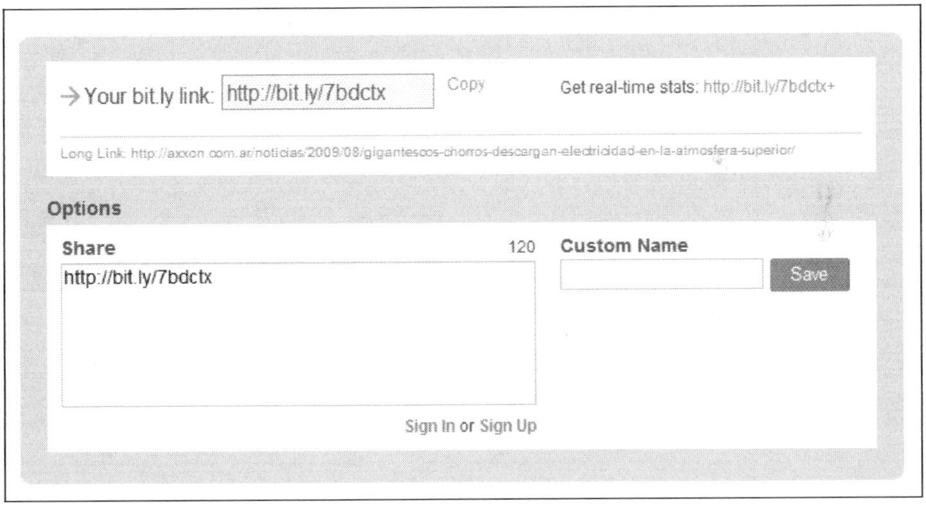

Figura 5.14. Copie el nuevo enlace acortado.

En el ejemplo anterior ha tenido que utilizar la opción de cortar y pegar entre varias ventanas o pestañas del navegador de Internet. Es una pena que Twitter no ofrezca un servicio automatizado para acortar mientras escribe una URL. Aunque tenga por seguro que la plataforma seguirá cambiando para el bien de todos sus usuarios.

5.4 CONCLUSIÓN

Este capítulo le ha enseñado de una forma sencilla el uso de las principales funciones de Twitter para navegar en él y obtener afluencia social. No olvide que Twitter es una red social y como todos los servicios de red social precisa de mucha inversión de tiempo personal para alcanzar unos objetivos muy altos.

Además de la página de Twitter se han mostrado otras herramientas que le harán más sencillo el manejo de Twitter. En cualquier lugar en el que esté situado mediante el uso de PDA o teléfono móvil, le animamos a probar por su cuenta a utilizar estas aplicaciones que harán más productivo su tiempo en Twitter.

Capítulo 6

HI5

6.1 INTRODUCCIÓN

A lo largo de este capítulo el lector aprenderá el modo de registrarse y personalizar su perfil, cómo utilizar las diferentes funciones que brinda esta red social a la hora de gestionar amistades, compartir fotos o el uso de aplicaciones, y sobre las medidas de seguridad que deben tomarse para mantener segura la información personal que comparte en la red.

6.1.1 ¿Qué es hi5?

Es una red social creada por Ramun Yalamanchis y Akash Garg en el año 2003 al fundar la empresa hi5 Networks, Inc. La sede de la empresa se encuentra en San Francisco, donde trabajan actualmente como jefe de producto y jefe tecnológico respectivamente. Según la compañía de medición de audiencias comScore, hi5 registra más de 60 millones de visitantes mensualmente, en parte gracias a que la plataforma se encuentra disponible en 50 idiomas. Mucha de su audiencia es latinoamericana, así que a diferencia de otras redes sociales, hay mucha gente que habla en español.

Hi5 es una red social en evolución constante debido al número de usuarios que envían sugerencias y a la compañía que soporta la red social, lo cual genera una actualización constante de posibles errores en el sistema así como el añadido de nuevas opciones y funcionalidades solicitadas por los usuarios. Esto hace que esta red sea atractiva a nivel global con respecto a las otras redes sociales.

6.2 CREACIÓN DE UNA CUENTA

En el siguiente apartado se van a seguir los pasos necesarios para la creación y registro de una cuenta de usuario en hi5, será suficiente con seguir la explicación suministrada y completar los datos que se comentarán adecuadamente. Aunque son pasos típicos que cualquier usuario de otras redes o plataformas on-line de contactos y amigos habrá rellenado en alguna ocasión, es interesante agilizar el proceso mediante explicaciones sencillas para aquellos usuarios que por primera vez quieren ser miembros de hi5.

6.2.1 Registro de un usuario

Para crear su cuenta en hi5 debe dirigirse a la página Web situada en *http://www.hi5.com.* Cuando acceda por primera vez, el sistema detectará que no está autenticado y se le ofrecerá la posibilidad de iniciar sesión o bien crear una cuenta nueva en la comunidad. Para registrarse en hi5 debe rellenar todos los campos del formulario de suscripción que se muestra en esta página de inicio. Entre los datos que se piden, necesitará tener una cuenta de correo electrónico para así relacionarla a la cuenta y recibir notificaciones.

Figura 6.1. Formulario de registro de usuario

Una vez rellenados los campos del formulario, si todos son correctos aparecerá una verificación en verde a la derecha de cada campo como se muestra en la imagen anterior. En caso de que algún dato haya sido introducido de manera incorrecta, se mostrará un aspa roja indicando que debe modificarlo. Una vez cumplimentada esta sección, pulse el botón **¡Registre!** para finalizar el proceso.

Si el proceso se ha realizado correctamente, en el siguiente paso de registro podrá añadir una imagen a su perfil para que el resto de la comunidad de usuarios en hi5 le pueda reconocer. Para ello únicamente es necesario pulsar el botón examinar (**Browse...**) y seleccionar la fotografía que desee compartir. Si no desea compartir una foto en este momento, puede saltar este paso pulsando en la parte inferior el enlace **No gracias, tal vez después**. Una vez realizado esto se encontrará dentro de su perfil de usuario de hi5.

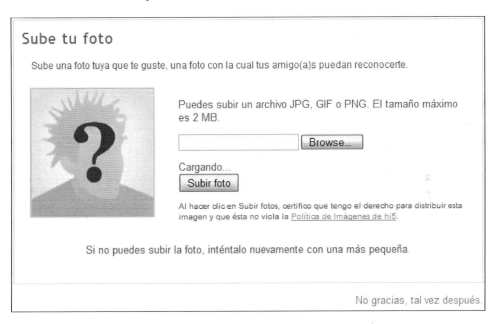

Figura 6.2. Formulario de incorporación

Figura 6.3. Pantalla de inicio del perfil

6.2.2 Creando un avatar animado

En hi5 cuenta con la interesante posibilidad de crear un avatar animado que represente su estado de humor para cuando esté conectado. Para iniciar el proceso de creación de este avatar, diríjase al menú superior y haga clic en la silueta con "interrogación amarilla" al lado del nombre de usuario. Será dirigido a la página de creación del avatar, donde aparecerá un asistente de creación del avatar.

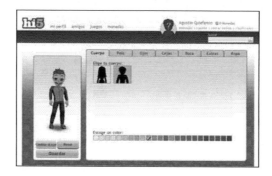

Figura 6.4. Asistente de creación para un avatar animado

En cada pestaña disponible en esta sección encontrará un rasgo distinto a configurar para el avatar, sea el cuerpo, pelo, ojos, cejas, boca, extras o la ropa que lleva puesta. Cada rasgo es configurable con una diversa gama de colores que permitirá crear un avatar personalizado para cada usuario de la comunidad. Si prefiere ahorrarse el tiempo, siempre tiene la opción de crear un avatar al azar. Simplemente pulse en el botón **Cambiar al azar** situado debajo del avatar que está creando y se genera uno al instante. Así sólo debe dedicarse a cambiar algunos detalles de la figura. Una vez guardado, aparecerá una imagen de su nuevo avatar al lado de su nombre en la página de inicio.

Figura 6.5. Pantalla de inicio del perfil incluyendo avatar animado

A diferencia de la imagen estática de perfil, su avatar animado puede expresar su humor. Para ello, en el menú superior de navegación, diríjase a **mi perfil**. Despliegue el menú de comportamiento y verá diferentes estados de humor que serán emulados por la animación del avatar. Ésta es una característica particular de hi5 y es lo que permite una comunicación más dinámica al transmitir un estado de ánimo.

Figura 6.6. Estados de ánimo en hi5

6.2.3 Ajustes de perfil

Hasta ahora ha configurado cómo se muestra su persona a la comunidad de hi5. Continuaremos configurando el perfil, donde es muy importante definir correctamente las opciones de privacidad que existen para poder controlar quién puede acceder a la información que comparte y los datos que publique en él. Para esto deberá dirigirse a la página de configuración de **cuenta**, cuyo enlace está situado debajo de su nombre de usuario.

Cuenta

Cuando entre en esta sección, se encontrará inmediatamente con las opciones más generales para los ajustes de cuenta. Dentro de estas opciones se puede cambiar la contraseña o el correo electrónico. Si encuentra que ya no tiene uso para su cuenta en hi5, puede cancelarla desde aquí.

Privacidad

En esta sección podrá ajustar diversos aspectos para mejorar su privacidad en la comunidad. Podrá elegir la audiencia que tiene, qué mensajes desea recibir en su buzón de entrada o bien bloquear a usuarios que le molesten con *spam*. Esta página se divide en las siguientes secciones:

- **Ajustes del perfil**: en esta sección podrá delimitar qué usuarios pueden ver su perfil o actividad en hi5. Podrá elegir quiénes pueden enviar comentarios a su perfil y qué comentarios son aceptados de manera automática. Personalice estos ajustes según cómo quiera interactuar con la comunidad. Debe preguntarse si quiere conocer gente nueva o si solamente quiere pasar un buen rato con sus amistades existentes. Inicialmente, para una buena gestión de su privacidad, sólo permita que sus amigos puedan ver su perfil y sólo ellos puedan poner comentarios. No es de buena práctica aceptar comentarios automáticamente debido a que puede recibir un alto volumen de mensajes publicitarios. Pero si lo hace entre sus amigos, no debería haber problema y se simplifica significativamente la gestión de su cuenta.

- **Ajustes de mensajes y correo electrónico**: aquí podrá delimitar qué usuarios pueden interactuar con su cuenta de usuario. Entre las opciones configurables puede elegir quién puede enviar solicitudes de amistad, mensajes privados, *Fives* y otras notificaciones. Normalmente podrá elegir entre sus amigos o todo el mundo. La excepción es cuando elige o no recibir solicitudes de amigos nuevos. Como anteriormente se ha comentado, es recomendable por lo menos al inicio, recibir mensajes y notificaciones únicamente de sus amigos. Las notificaciones por correo son útiles para no estar todo el tiempo conectado al portal. Si tiene un dispositivo móvil para leer su buzón de entrada, podrá estar al tanto de su cuenta esté donde esté de esta manera. Aunque a algunos usuarios tal vez no les guste que su buzón se llene si es que tiene mucha actividad en la red. Esto no debería ser problema si utiliza cuentas de correo como Gmail que permiten gigas de espacio en almacenamiento de correo.

- **Ajustes de fotos**: compartir fotos es algo común entre las redes sociales. Uno siempre es consciente de lo importante de la imagen propia y cuánto se podría ver afectado en su vida personal al ser descubierto en una foto comprometedora que subió otro amigo. Para mitigar posibles riesgos, puede delimitar quiénes pueden etiquetarle en una fotografía. Si no permite que otro usuario le etiquete, la foto no será vinculada a su perfil ni será fácil de encontrar, de esta manera tendrá tiempo para pedirle al otro usuario que retire (baje) la fotografía. Aquí también puede elegir quiénes pueden hacer comentarios en sus fotos y la aceptación automática de ellos mismos.

- **Ajustes de actualizaciones de amigos**: en esta sección, elija quién puede ver sus actualizaciones en su página de inicio y quiénes pueden ver las actualizaciones en su perfil. Aquí no es necesario ser tan restrictivo puesto que la idea de la red social es justamente socializar. Sin embargo, si no le interesa conocer gente nueva, tal vez quiera limitar la audiencia a sólo su círculo de amistades.

- **Ajustes de estado en línea**: elija si quiere que otros puedan ver si está dentro de hi5 o no. Esto es el equivalente de aparentar estar desconectado en su cliente de chat.

- **Usuarios bloqueados**: aquí se agregarán automáticamente todos los usuarios que bloquee durante el uso de la red social para no recibir ningún tipo de comunicación de ellos.

Ayuda

Si tiene alguna duda o algún problema, diríjase a esta sección de ayuda. Accederá a la lista de preguntas más comunes tanto como a la ayuda para las diversas secciones de hi5. Para agilizar la respuesta a su duda, utilice el buscador integrado en esta sección y realice su pregunta.

6.3 NAVEGANDO EN HI5

Una vez creado su perfil y configurada su cuenta de usuario el siguiente paso lógico es empezar a jugar con las diferentes características de esta red social, buscar a sus amistades y hacer unas nuevas. Explore las diversas maneras que tiene para compartir información, fotos y mensajes en esta plataforma a lo largo de este apartado.

6.3.1 Agregando a sus amistades

El uso de la plataforma puede hacerse aburrido si está solo en ella. Lo primero a realizar es buscar a sus amistades existentes para empezar a compartir. Para empezar, diríjase al menú principal de navegación y haga clic en **amigos**. Será llevado automáticamente a la sección de herramientas para encontrar amigos. La red de hi5 ofrece tres herramientas diferentes para encontrar amistades:

- **Busca Amigos hi5**: éste es el primer modo para agregar amistades, consiste en conectar con una cuenta de correo electrónico que contenga su agenda de contactos. Actualmente la utilidad permite conectar con los siguientes proveedores de correo:

  o Hotmail

  o Yahoo!

  o MSN

  o Gmail

  o Windows Live

  o Terra

  o Abv

  o Ig

  o y Bol.

Figura 6.7. Pantalla de búsqueda de amigos

Simplemente introduzca su nombre de usuario y despliegue del menú el dominio del servicio de correo electrónico. La plataforma requerirá la contraseña para entrar y leer su agenda de contactos. Pulse en el botón **Encontrar amigo(a)s** para empezar el proceso. Tendrá la posibilidad de seleccionar todos los contactos o bien mostrar una lista desplegable que le permita seleccionar a quién quiere que hi5 le envíe una invitación de amistad en su nombre para unirse a la red social.

Nota: es importante tener en cuenta que en el momento en que introduce el usuario y contraseña para agregar a sus amigos a través de una agenda de contactos ubicada en un proveedor de correo electrónico externo (como por ejemplo *hotmail.com*), hi5 no almacenará ni su cuenta de correo electrónico ni su contraseña de Hotmail. Así se respeta su privacidad en todo momento.

- **Invita Amigos**: el segundo modo de agregar amigos en su perfil consiste en introducir directamente un listado de correos electrónicos pertenecientes a sus amigos. Introduzca los correos en el recuadro de texto separándolos mediante comas. Una vez introducidos, al pulsar el botón **Invita Amigos**, se procederá a enviar de manera automatizada una invitación de amistad en su nombre.

Figura 6.8. Pantalla de invitación de amigos a la red social

- **Busca amigos**: el tercer modo quizás sea el más interesante cuando desee invitar a una persona de la cual no posee un correo electrónico o perdió el contacto tiempo atrás con sus antiguos compañeros de estudios. Utilice el buscador para listar a las personas en hi5 mediante sus nombres. El buscador mostrará un listado de usuarios que coincidan y una vez localizado a su conocido, únicamente deberá seleccionar el usuario y pulsar el botón **Agregar como Amig@**. Al usuario se le enviará una solicitud de amistad en su nombre.

Si en la primera búsqueda aparece un gran número de usuarios que coincidan con los mismos datos, puede filtrar los resultados seleccionando la opción de búsqueda avanzada que aparece en la parte inferior de la casilla de búsqueda inicial. En ella se le permite seleccionar rasgos detallados de la persona como edad, sexo, estado civil, país y ciudad para delimitar su búsqueda.

Figura 6.9. Pantalla de búsqueda de amigos

6.3.2 Interactuando en grupos sociales

Al igual que puede buscar usuarios, también existen grupos sociales que comparten hobbies e intereses. Puede encontrar grupos de alumnos del mismo colegio o universidad o simplemente grupos de admiradores de celebridades. Hay para todos los gustos y para los usuarios que prefieran el estilo de foros en Internet, se sentirán muy cómodos con esta funcionalidad de hi5.

Para gestionar el uso de grupos, en el menú principal de navegación, diríjase a **amigos** y presione en el enlace **grupos** en el submenú que aparece. Se le presenta con un buscador que puede utilizar para introducir palabras clave a encontrar. Filtre por categoría eligiendo el tema que más le interese desde el menú desplegable a la derecha. Cuando inicie a buscar, se mostrarán todos los grupos coincidentes. Busque un grupo de su interés y acceda a él para navegar y leer las opiniones de otros. Si desea unirse al mismo, únicamente deberá pulsar en el botón **Unirte al grupo**, situado dentro del foro que encuentre visitando un grupo.

Figura 6.10. Pantalla de búsqueda de grupos

Pruebe a crear su propio grupo si no encuentra lo que busca. Lo puede hacer de un modo sencillo pulsando el botón **Crear tu grupo ahora**, situado dentro de la sección de **grupos**. A continuación rellene el formulario en el cual se le solicitará la siguiente información:

- **Nombre**: un nombre para el grupo. Utilice las palabras clave que otros usuarios puedan introducir en la herramienta de búsquedas para tener más audiencia.

- **Categoría**: elija del menú desplegable la categoría donde encaja el foro a crear.

- **Descripción**: sea detallado en el tema del grupo social. Nuevamente, utilice palabras clave que piense que otros utilizarán en sus búsquedas. No aburra con una descripción muy larga y trate de ser conciso presentando el tema a discutir.

- **Descripción adicional**: este campo se agrega para gente que es hábil escribiendo código de diseño de páginas Web.

- **Imagen del grupo**: presione el botón y explore en su ordenador local por una imagen que sea representativa de su nuevo grupo.

- **Idioma**: indique el idioma que se habla dentro del grupo. Recuerde que la plataforma contiene una audiencia altamente internacional.

- **País y ciudad**: esta información es útil para ofrecer detalles de localización y atraer a otra gente que pertenece a esa localidad.

- **Nivel de acceso**: según configure este punto, delimitará qué información podrá ser vista por visitantes y quiénes podrán unirse a su grupo. Existen tres categorías:

  o **Público**: el contenido del grupo puede ser visualizado por cualquier usuario. Los usuarios que lo deseen podrán unirse al grupo sin la autorización previa del propietario.

  o **Moderado**: el contenido del grupo puede ser visualizado por cualquier usuario. Los usuarios que lo deseen podrán unirse al grupo pero necesitarán la autorización previa del propietario o de un moderador del grupo.

  o **Privado**: el contenido del grupo sólo puede ser visualizado por miembros del grupo. Los usuarios que lo deseen podrán unirse al grupo pero necesitarán la autorización previa del propietario o de un moderador del grupo.

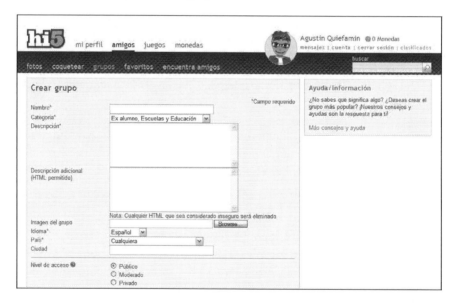

Figura 6.11. Pantalla de creación de grupo

Por último sólo tendrá que configurar si desea recibir las notificaciones de denuncias de abuso o solicitudes para unirse de nuevos usuarios al grupo por email.

Una vez configurado esto, revise y acepte los términos de servicio antes de pulsar el botón **Crear Grupo**.

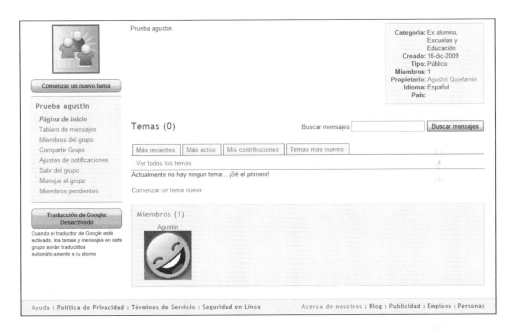

Figura 6.12. Pantalla de inicio del grupo

Una vez creado el grupo, se encontrará con la pantalla de bienvenida del grupo desde la cual podrá gestionar todos los aspectos relativos a la comunidad que ha creado. En la parte superior verá el nombre del grupo y a su derecha en un recuadro, aparecerán los detalles del foro además del número de miembros que forman parte del grupo.

Para empezar a gestionar el foro del grupo, diríjase al menú situado en el lado izquierdo de la página. Desde aquí podrá realizar las siguientes acciones:

- **Comenzar un nuevo tema**: pulsando este botón podrá crear un nuevo tema en el foro. Indique el título que lo identifique y un cuerpo en el cual se desarrolle el tema a debatir para que todos los miembros del grupo puedan opinar y aportar sus puntos de vista.

- **Página de inicio**: pulsando en este botón llegará a la página de inicio del grupo. Lugar donde accedió por primera vez cuando creó el grupo.

- **Tablero de mensajes**: pulsando en este botón, accederá a una pantalla en la cual se mostrarán todos los temas abiertos, siendo posible navegar por unas pestañas que permitan seleccionar temas en base a:

  - **Más recientes**: temas creados recientemente en el grupo.

  - **Más activo**: los temas que han generado más mensajes.

  - **Mis contribuciones**: temas que ha creado con su perfil.

  - **Temas más nuevos**: temas creados en los últimos minutos.

Figura 6.13. Pantalla del tablero de mensajes

- **Miembros del grupo**: pulsando en este botón podrá ver la lista de usuarios del grupo. Podrá organizarlos según sean usuarios con una actividad más reciente en la comunidad o bien por su fecha de unión al grupo. También podrá seleccionar un determinado usuario y enviarle un mensaje privado.

- **Compartir grupo**: invite a sus amigos a su foro de grupo. Es posible tanto agregar a usuarios que ya son miembros de hi5, como usuarios que no tengan una cuenta en esta red social, quienes recibirán un correo electrónico invitándoles al grupo.

- **Ajustes de notificaciones**: pulsando este botón podrá activar o desactivar si desea recibir notificaciones por email cuando se genere algún tipo de actividad en su grupo.

- **Salir del grupo**: pulsando este botón abandonará el grupo y se dirigirá a la página principal de su perfil en hi5. En caso de ser el creador del grupo, deberá asignar previamente un nuevo propietario para poder abandonarlo o bien borrarlo definitivamente del sistema si no desea que otro le suceda.

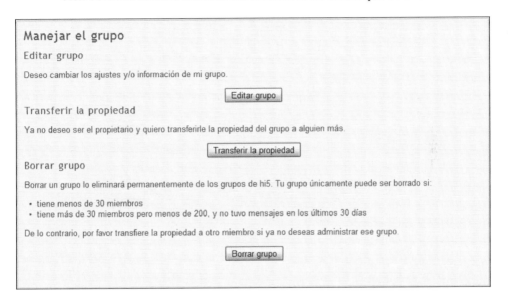

Figura 6.14. Pantalla de Manejar el grupo

- **Manejar grupo**: aquí podrá editar la información que configuró cuando creó el grupo así como transferir la propiedad del grupo a otro usuario que pasará a ser el administrador. Finalmente también podrá borrar el grupo de hi5, perdiéndose toda la información que éste contenga.

- **Miembros pendientes**: esta opción sólo aparecerá si configuró el grupo como **Moderado** o **Privado**. Pulsando este botón podrá administrar todos los usuarios que hayan solicitado unirse al grupo, pudiendo permitir o borrar la solicitud de cada usuario.

6.3.3 Gestión de álbumes de fotos

Para añadir fotos a su perfil, primero diríjase a la página de su perfil. En la columna izquierda, pulse el botón **fotos** para ser llevado a la herramienta que gestiona sus imágenes subidas.

Figura 6.15. Pantalla de gestión de fotos

A la hora de administrar fotografías es importante diferenciar entre álbumes y fotos. Los álbumes, al igual que en la realidad son contenedores de fotografías que le permiten organizar en diferentes categorías las imágenes subidas. Puede categorizar las imágenes por viajes, eventos o bien por temáticas que le gusten. Por defecto, en el momento en que creó su perfil en hi5, se creó un álbum llamado **Fotos de Usuario**, donde **Usuario** es su nombre. Aquí se ubica la imagen de perfil que añadimos al principio del capítulo.

Nota: en el momento de crear un álbum es muy importante definir quiénes podrán ver las fotos que se van a subir al mismo. Quizás no le interese que un desconocido vea dónde vive o qué coche ha adquirido. Tenga cautela y ante la duda, escoja sólo involucrar a sus amigos.

Antes de subir una foto valore si ésta debe ser vista por otras personas o amigos, y en caso de aparecer otra persona junto a usted confirme si esa persona está de acuerdo con que la comparta en la red. Es importante valorar tanto si usted como los demás están de acuerdo en que esa foto sea vista por un tercero en caso de fotos que puedan perjudicar la imagen de la persona en cuestión.

Lo primero que hay que hacer es crear un nuevo álbum que contenga las fotos que va a compartir en hi5. Para ello diríjase al menú situado a la izquierda, en concreto a la sección **Herramientas**. En ella pulse sobre el enlace **Crear un álbum**.

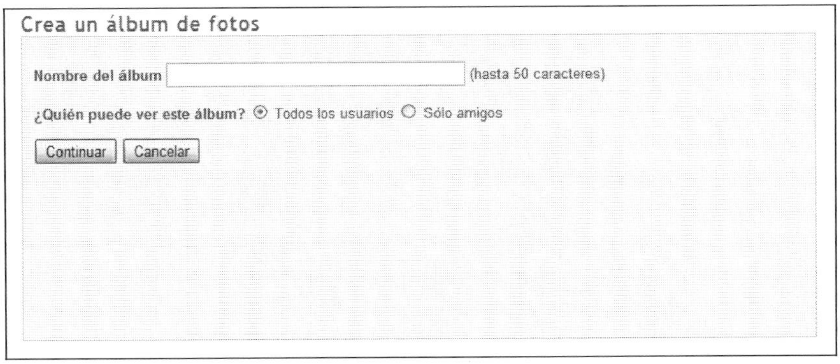

Figura 6.16. Pantalla de creación de álbum

Una vez que esté en la ventana de creación del álbum tendrá que introducir un nombre descriptivo y elegir quiénes podrán visualizar las fotografías contenidas en éste. Una vez creado, aparecerá una ventana confirmando que se ha creado correctamente y se permitirá agregar fotos.

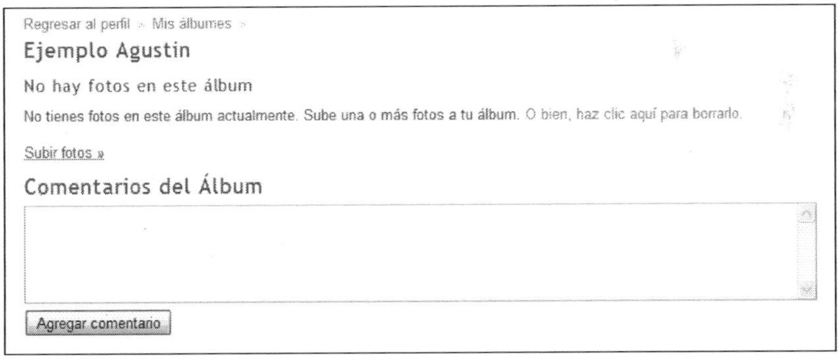

Figura 6.17. Pantalla de confirmación de creación del álbum

De vuelta en la página inicial de la sección **fotos**, presione **Subir fotos** para empezar a compartir sus imágenes. Aparece el asistente para subir fotos y lo primero es seleccionar el álbum al cual desea agregar imágenes. Tendrá que buscar cada imagen de manera individual, examinando su disco duro para cada foto. Si lo prefiere, debajo existe un enlace que le lleva a otra herramienta mucho más flexible que permite la subida de múltiples ficheros a la vez. Esta última opción, sin embargo, requiere la instalación de Flash en su equipo.

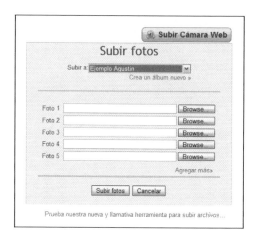

Figura 6.18. Asistente para añadir fotos a su álbum

Otra posibilidad es agregar fotos directamente desde una webcam realizándolas en el momento. Para ello únicamente tendrá que pulsar en el botón **Subir Cámara Web** y sacar la foto que prefiera mediante su webcam. Esta herramienta es muy útil para sus fotos de perfil.

Cuando finalice el proceso de subida de imágenes, se mostrará un mensaje confirmando que el proceso se ha realizado correctamente. Al final se le permitirá que agregue una descripción a cada fotografía, como por ejemplo el lugar en el que se tomó la foto o cuándo se realizó.

Figura 6.19. Pantalla de confirmación del proceso correcto

Elija una portada del álbum para reconocer fácilmente la colección. Podrá además establecer cualquier fotografía que suba a un álbum como nueva fotografía de perfil, sustituyendo la fotografía anterior. Una vez añadidas las descripciones a las diferentes fotos y establecida qué foto hará de portada del álbum, guarde los cambios realizados y etiquete a las personas que salen en la imagen. Una vez hecho esto los usuarios que haya definido con permisos de acceso podrán ver las diferentes fotos que ha compartido y agregar sus comentarios.

Figura 6.20. Pantalla de mis álbumes

6.3.4 Aplicaciones de hi5

A través de hi5 tiene disponibles una multitud de aplicaciones con diferentes funciones y características. Para ver las aplicaciones disponibles debe dirigirse al menú superior y pulsar el botón **mi perfil > aplicaciones**.

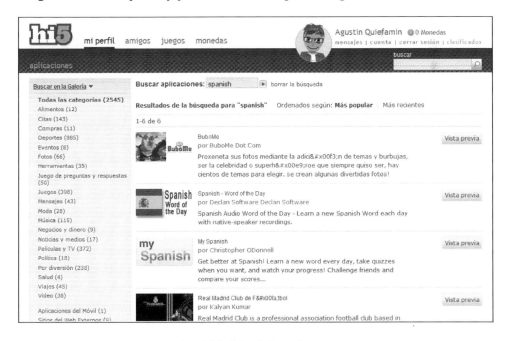

Figura 6.21. Menú de aplicaciones

En el submenú **aplicaciones** podrá ver un menú en el lateral izquierdo que clasifica las aplicaciones en categorías. Podrá buscar una aplicación mediante el buscador proporcionado a la derecha. Busque aplicaciones en español introduciendo la palabra clave *spanish*.

Como se puede apreciar en la imagen anterior, la primera aplicación que se muestra se llama **BuboMe**, una aplicación dedicada a la edición de fotos agregando plantillas de fondo. Se podría decir que es la versión digital del clásico cartel de "se busca" o "*wanted*", en el cual uno introduce la cabeza y se saca una foto. Pulse el botón **vista previa** ubicado a la derecha de la aplicación para ver la información y en este caso una demo animada.

Figura 6.22. Pantalla de vista previa de la aplicación

Para agregar la aplicación a su perfil, únicamente tendrá que pulsar el botón **Agregar a mi perfil**. En el momento que quiera desinstalar una aplicación, tendrá que ir de nuevo al menú perfil de la parte superior y seleccionar el submenú **aplicaciones**. Una vez ahí, se mostrarán todas las aplicaciones que ha agregado y podrá pulsar el botón **eliminar** que aparece en el lateral derecho de cada aplicación.

Figura 6.23. Pantalla de mis aplicaciones

6.4 CONSEJOS SOBRE SEGURIDAD EN HI5

Hi5, en su página Web muestra una serie de consejos y buenas prácticas tanto para usuarios jóvenes como para padres. Dado que la versión en español es una traducción literal de la versión en inglés, no es una traducción totalmente correcta. A continuación se muestra una versión traducida y revisada del documento original con algunos cambios de contenido que mejorarán la comprensión de las pautas de seguridad a seguir por jóvenes y padres.

6.4.1 Consejos para jóvenes sobre seguridad en la red

Hi5 puede ser un lugar divertido para estar en contacto con amigos, compartir información e intercambiar ideas, pero es importante recordar que cuando se usa hi5 o Internet, lo que se publica puede avergonzarte o exponerte a un peligro, así que piensa antes de publicar. Aquí hay algunas pautas de sentido común que es recomendable seguir cuando usas hi5 o navegas por Internet.

- **Protege tu información**. Usa los ajustes de privacidad de hi5 para controlar quién puede visitar tu perfil y qué contenido puede visualizar. Recuerda que si no usas las funciones de privacidad, cualquier usuario puede ver toda tu información. Siempre debes ser precavido y no compartir información que pueda facilitar a un desconocido encontrarte.

- **Nunca te reúnas con desconocidos**. Evita reunirte con alguien que conociste a través de Internet. Si quieres reunirte con un amigo que has conocido a través de la red, prepara el encuentro en un lugar público durante el día y ve acompañado por un adulto.

- **Fotos: piensa antes de publicar**. Evita publicar fotos que permita a la gente reconocerte y que contengan imágenes especialmente sugestivas. Antes de subir una foto, piensa cómo te sentirías si fuera vista por tus padres.

- **Revisa los comentarios con regularidad**. Si permites comentarios en tu perfil, revísalos con frecuencia y modera su publicación. No respondas a comentarios o correos electrónicos groseros o embarazosos. Bórralos, bloquea a las personas que los realicen e informa a hi5 de lo sucedido. Además, nunca respondas a correos electrónicos de extraños que pregunten datos personales.

- **Sé honesto con tu edad**. Nuestras reglas de registro son para proteger a las personas. Si mientes sobre tu edad, hi5 borrará tu perfil.

- **Confía en tu instinto si tienes sospechas**. Si te sientes amenazado por un usuario o incómodo por algo que han publicado, háblalo con un adulto de confianza e informa a la policía de ser necesario.

- **Información adicional**. Para obtener información adicional sobre buenas prácticas en la navegación y seguridad en Internet, visita los siguientes enlaces:

  o *http://www.pantallasamigas.net*

  o *http://www.chaval.es*

6.4.2 Consejos para padres sobre seguridad en la red

Internet puede ser un lugar divertido y útil para los jóvenes. Sin embargo, como cualquier lugar público, también está lleno de riesgos y peligros potenciales si no se toman las medidas adecuadas. Nadie puede asegurar la seguridad en la red, pero los padres y tutores tienen un papel fundamental como guías en este nuevo mundo digital.

Los padres deben esforzarse en hablar abiertamente con sus hijos sobre sus experiencias en la red, compartiendo éstas y aconsejándoles. También es bueno buscar apoyo y consejos de otros padres, educadores, especialistas de seguridad en Internet. Cada padre debe tomar las medidas necesarias para asegurar la seguridad en Internet de sus hijos. Aquí hay algunas sugerencias y pautas:

- **Sea abierto con sus hijos** y trasmítales confianza para que acudan a usted si encuentran un problema o algo que les preocupe en la red. Mantenga una comunicación fluida ya que ninguna regla, ley o software de filtro puede reemplazarlo como la primera línea de defensa y guía de sus hijos.

- **Hable con sus hijos acerca de cómo usan los servicios**. Asegúrese de que entiendan las pautas de seguridad básicas de Internet y las redes sociales. Éstas incluyen proteger la privacidad (incluyendo contraseñas), nunca publicar información de identificación personal (como el apellido, número de teléfono, dirección de su domicilio o número de tarjetas de crédito), evitar reuniones en persona con individuos que conocen en Internet y no publicar fotos inadecuadas o potencialmente embarazosas. Sugiérales usar las herramientas de privacidad de hi5 para compartir información sólo con

las personas que conocen en la vida real y nunca admitir "amigos" a sus
páginas a menos que estén seguros de quiénes son.

- **Configure el acceso a Internet en un área central de la casa**, como el
  salón y nunca en la habitación de los niños. Sea consciente de que también
  hay maneras por las que los niños pueden tener acceso a Internet fuera de
  casa, incluyendo muchos teléfonos móviles y videoconsolas.

- **Intente que sus hijos compartan sus blogs y perfiles de Internet con
  usted**. Use los buscadores y las herramientas de búsqueda de las redes
  sociales para buscar el nombre completo de su hijo y otra información que
  lo identifique.

- **Dígales a sus hijos que confíen en su instinto si tienen sospechas**. Si se
  sienten amenazados por alguien o incómodos por algo que se ha publicado,
  ellos deben acudir a usted y después informe a la policía de ser necesario.

- **Información adicional**. Para obtener información adicional sobre buenas
  prácticas en la navegación y seguridad en Internet, visita los siguientes
  enlaces:

  o *http://www.protegeles.com*

  o *http://www.e-legales.net*

6.5 CONCLUSIONES

Hi5 es una red social con multitud de opciones y posibilidades, quizás lo
más destacable es que es una red social multicultural gracias a la diversidad de
usuarios que componen la red procedentes de diferentes países, lo cual añade gran
variedad en el contenido e información publicada dentro de la red y permite
ponerse en contacto a personas de todo el mundo.

En nivel de contenido y actualización debemos destacar que hi5 actualiza
cada poco tiempo tanto las opciones del usuario como también añade nuevas
prestaciones a la red social, cabe comentar que durante la creación de este capítulo
hemos visto evolucionar la red agregándose novedades de manera constantemente.

Capítulo 7

BLOGGER

7.1 INTRODUCCIÓN

Este capítulo se centrará en conocer y aprender a utilizar uno de los servicios que ha revolucionado la Web 2.0, que es el blog, del cual se verán sus características principales y se realizará un repaso de su utilización, guiando paso a paso al lector a lo largo del proceso de generación, diseño y publicación de información. Todo este proceso se realizará mediante el servicio de *blogging* de Google llamado Blogger, por ser uno de los servicios más extendidos y con mayores ventajas de la red.

Iniciaremos el capítulo con una breve introducción histórica de los *blogs* y continuaremos con un repaso guiado de cómo configurar un blog a medida y realizar las operaciones básicas que permite este servicio. Se detallarán desde los pasos a realizar al publicar textos sencillos hasta añadir distintos *gadgets* para agregar funcionalidades al *blog*. Concluirá con las distintas opciones que suministra el servicio Blogger para integrar el *blog* con las cuentas de distintas redes sociales tales como Facebook o Tuenti, permitiendo sincronizar las publicaciones en los distintos medios y permitirle interactuar con mayor cantidad de audiencia.

7.1.1 ¿Qué es un blog?

La palabra *blog* viene de los términos en inglés *Web* y *log* (bitácora o diario en inglés), haciendo referencia al carácter personal de los *blogs* y a su actualización de forma periódica. Un *blog* es un sitio Web personal y/o corporativo que se actualiza periódicamente con historias o noticias y muestra las últimas publicaciones en la parte superior del mismo.

Una de las características más importantes de la proliferación de los blogs es el hecho de que cualquier persona puede comentar cualquier noticia (siempre y cuando el propietario del *blog* lo permita) dando lugar a auténticos debates y conversaciones on-line sobre el texto publicado. No tiene que ser todo contenido escrito, puede decidir publicar sus fotos, vídeos o música con el resto del mundo. De esta manera, puede contar con una pequeña plataforma para difundir contenido y/o ideas.

El movimiento *bloguero* empezó en 1994 de la mano de Justin Hall, quien escribió su diario on-line mientras estudiaba en la Universidad de Swarthmore; Justin Hall está generalmente reconocido como uno de los primeros *blogueros*, sin embargo, no fue hasta más tarde, en el año 1999, cuando se acuñó la palabra *blog* por primera vez, el precursor del término fue Peter Merholz, quien puso dicho término en la barra lateral de su propio sitio Web personal, *www.peterme.com*.

A partir de entonces el crecimiento del movimiento *bloguero* ha sido imparable hasta llegar al día presente, donde casi cualquier conocido y/o familiar tiene un *blog* en Internet para publicar sus intereses e inquietudes o simplemente compartir sus opiniones con el resto del mundo. Debido a este crecimiento imparable, hoy en día es habitual escuchar el término *blogosfera*, el cual agrupa a la totalidad de los *blogs* que normalmente están interconectados entre ellos mediante enlaces. Estos enlaces los mantiene el propietario del *blog* y conecta con las otras redes sociales de sus amigos, conocidos o familiares. Para gente que se dedica a escribir o generar contenido, los puede publicar en sitios Web relacionados a sus temas o con opiniones similares. De esta forma, la red de *blogs* o *blogosfera,* se expande por todo Internet.

7.1.2 ¿Por qué Blogger?

A la hora de crear un *blog*, se dispone de muchas opciones donde albergarlo, existiendo servicios de pago y otros gratuitos, plataformas que requieren altos conocimientos técnicos o servicios altamente intuitivos para el usuario principiante. Precisamente dentro de esta última categoría que no requiere ningún tipo de conocimiento técnico previo, y además es gratis, se encuentra el servicio de *blogging* ofrecido por Google llamado Blogger, también conocido como *blogspot.com*.

El servicio de Blogger comenzó en 1999 de la mano de la empresa Pyra Labs, siendo una de las primeras herramientas de publicación de *blogs*, y sin duda una de las razones por las que se ha popularizado tanto el uso de estos servicios. Más tarde, en el año 2003, la empresa Google se interesó por este servicio, adquiriendo la empresa Pyra Labs y en consecuencia el servicio Blogger. Esta compra dota al servicio con los medios técnicos, humanos y económicos que han permitido a Blogger convertirse en uno de los mejores servicios de *blogging* disponibles al público.

7.2 CREACIÓN DE UN BLOG Y PRIMEROS PASOS

Si por el motivo que sea precisa o desea lanzarse a crear su propio blog dentro de esta telaraña de información que es Internet y su Web 2.0, precisará de la descripción de los pasos necesarios, rápidos y concisos que le permitan tener su propio blog en línea en el menor tiempo posible. Éstos son los pasos que descubrirá a lo largo de las siguientes secciones del capítulo.

7.2.1 Registrando un nuevo blog

El primer paso es conectarse a la página Web de *www.blogger.com*. Una vez ahí, en la parte superior derecha, haga clic en el botón naranja **Crear un blog**.

Figura 7.1. Accediendo a Blogger

El primer requisito a cumplir es la creación de una cuenta con Google, aunque puede ya tener una si utiliza alguno de sus otros servicios como Gmail o Picasa. Si dispone de una cuenta ya creada, se le indica acceder mediante el enlace **primero accede a ella**. Por el contrario, si no posee una cuenta de usuario en Google, al seguir en el enlace previo, haga clic en el enlace **Crear una cuenta ahora**.

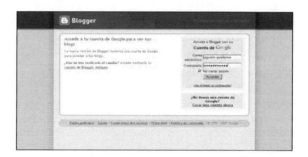

Figura 7.2. Inicie sesión o cree una cuenta

Nota: en el momento de crear una cuenta, los *blogs* al igual que cualquier otra aplicación disponible en Internet, son sensibles a ataques por parte de terceros maliciosos. Guarde muy bien la contraseña y procure que ésta sea segura. Una contraseña segura implica como mínimo 8 caracteres mezclando mayúsculas, minúsculas y números. Para hacer más segura todavía su contraseña, utilice contraseñas que contengan caracteres especiales como "&" o "!".

Cuando siga con el proceso de registro, indique el nombre a mostrar cuando se publiquen sus entradas en el *blog*. Asegúrese de leer las condiciones del servicio y acéptelas si desea continuar. Es importante conocer sus derechos leyendo detenidamente las Condiciones del Servicio, ya que en el momento que haga clic en el botón **Continuar**, se aceptarán de forma implícita todas las condiciones listadas.

Figura 7.3. Elija el nombre a mostrar

El siguiente paso es sin duda el más importante, ya que aquí es donde se definirá el nombre que tendrá el *blog* y el título que aparecerá en la cabecera del mismo. Es importante destacar que estos datos pueden ser modificados posteriormente en la pestaña de configuración de Blogger.

En el ejemplo de este capítulo se ha elegido como título del blog "Quiero Ser Famoso en Internet" y como dirección del *blog* se especifica el mismo título para que quede como *quieroserfamosoeninternet.blogspot.com*. Tómese su tiempo en pensar un buen nombre, algo que sea descriptivo y llamativo a la vez.

Nota: a la hora de elegir el título del *blog* y la dirección del mismo, existen una serie de pautas y buenas costumbres para decidir el nombre más apropiado. No son puntos obligatorios y se presentan a continuación como recomendaciones generales. Estos puntos son los siguientes:

- Debe ser un nombre o frase corta, fácil de recordar.
- Debe estar relacionado con el contenido del *blog*.
- Debe tener palabras clave relacionadas con el contenido del *blog*.
- No debe contener números ni caracteres especiales.

Una vez elegida la dirección del *blog* haga clic en el enlace **Comprobar disponibilidad** y corrobore que el nombre elegido no esté ocupado por otro usuario. Si este nombre está disponible, proceda a hacer clic en el botón **Continuar**, de lo contrario deberá elegir otra dirección y comprobar de nuevo su disponibilidad hasta encontrar una dirección válida para su sitio Web.

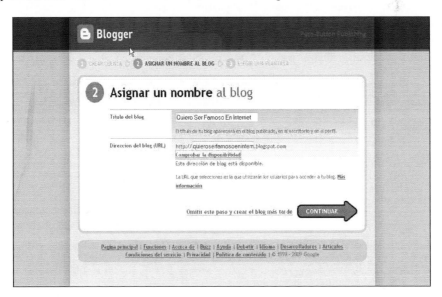

Figura 7.4. Eligiendo el nombre de su blog

El último paso para tener listo el *blog* es elegir el tema estético a utilizar. La siguiente ventana en el proceso de creación muestra una serie de plantillas que están integradas en el servicio. También hay páginas en Internet con muchos más temas disponibles para Blogger, esto se comentará más adelante en el apartado de Diseño. Seleccione el tema que más le guste o se adapte al contenido del *blog* que está creando y haga clic en el botón **Continuar** para finalizar el proceso.

Figura 7.5. Seleccione una plantilla de diseño

Ya con estos cuatro sencillos pasos realizados se habrá creado el *blog*. Haga clic en el enlace **Empezar a publicar**, aparecerá la ventana principal del panel de control de Blogger desde donde se podrá entre otras cosas, crear una entrada, modificar la misma y seguir configurando el sitio Web.

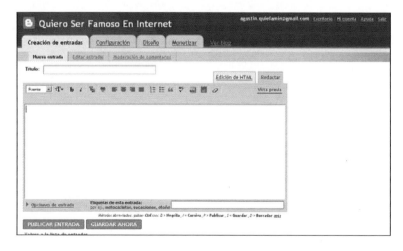

Figura 7.6. Vista principal de administración del blog

7.2.2 Primeros pasos de configuración y uso

Una vez que se ha creado el *blog*, investigue el entorno para conocer las distintas opciones de configuración que ofrece Blogger para la administración de su nuevo sitio Web, es decir, su propio blog. A continuación se hará un recorrido por las principales opciones que tiene disponibles y una breve explicación de cómo funciona cada una, de manera que el usuario pueda lanzarse en el menor tiempo posible a publicar contenidos.

Cada vez que inicie sesión en Blogger se abrirá la vista inicial del *blog* conocida como **Escritorio**. Desde aquí se podrán realizar las tareas más habituales de administración del *blog* como acceder al panel de creación o edición de entradas, o a la página de configuración del *blog*. Una parte importante es la configuración de su perfil de usuario.

Figura 7.7. Escritorio de Blogger

En este momento, la imagen de su perfil de usuario es una que se utiliza por defecto con tan solo la silueta. Al lado de esta imagen tiene las opciones disponibles para realizar cualquier modificación de su perfil. Haga clic en el enlace **Editar foto**, se cargará la información del perfil de usuario y automáticamente saltará a la sección para elegir una imagen. Puede seleccionar una foto en su disco duro o bien insertar un enlace Web donde reside la imagen. Al seleccionar del disco duro, se abrirá la ventana de diálogo para elegir el fichero. Una vez seleccionada la imagen, al final de la página de configuración encontrará el botón

Guardar perfil. Presione este enlace para que los cambios se guarden y tomen efecto.

Figura 7.8. La nueva imagen de perfil

La imagen de usuario es tan solo una de las cosas que puede configurar en el perfil de su usuario. La página de configuración del perfil contiene campos para llenar diferentes aspectos de su información personal. Si es un usuario casual que tan solo quiere un espacio para compartir con los amigos, tal vez no le valga la pena llenar estos datos. Para los emprendedores Web, sin embargo, ésta es una herramienta muy útil para relacionarse mejor con sus seguidores. Podría estar utilizando este *blog* para dar a conocer su persona ante posibles entrevistas de trabajo, en cuyo caso, tener un buen perfil es el equivalente a presentar un buen currículo de trabajo.

Figura 7.9. El perfil público de un usuario

> **Nota**: en ciertos casos es muy importante controlar la información personal que se publica en el perfil del usuario. Hay datos como el teléfono móvil personal o la dirección de casa que son información sensible y tal vez no quiera dar a conocer estos datos al mundo.

Además de querer compartir ideas con el resto del mundo, Blogger también se trata de leer sobre las ideas de otros. En la página de inicio de su *blog*, además de la sección de **Escritorio** existe la **Lista de lectura**. En esta sección se muestra una serie de pestañas que agregan diversos *blogs,* separando éstos en las siguientes categorías:

- **Blogs que sigo**: dentro de la infinita blogosfera podría ser que encuentre un sitio que le haya agradado tanto que quiere regresar para seguir leyendo más. Esta sección le permite introducir la dirección URL de este blog y convertirse así en uno de sus seguidores. Podrá rápidamente repasar los varios sitios que se listan a la izquierda, leyendo un extracto de cada una de las últimas entradas de un blog en concreto en la columna a su derecha. La interfaz es muy intuitiva de esta manera y resulta similar a acciones familiares como ver nuestro propio correo electrónico.

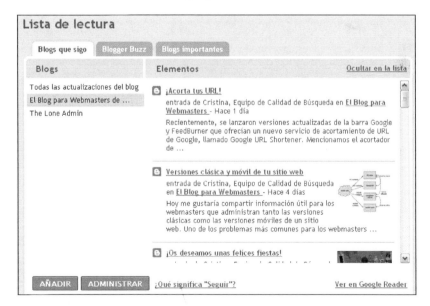

Figura 7.10. Agregue aquí sus blogs favoritos

- **Blogger Buzz**: éste es un espacio dedicado al blog oficial de Blogger. Aquí se escriben noticias acerca de la comunidad y se anuncian los cambios que se realizan en las políticas de servicio de Blogger debido a quejas o sanciones. También le podría interesar las noticias de nuevas características o gadgets y mejoras de la misma plataforma Web. Este espacio se debiera leer por lo menos una vez a la semana si desea mantenerse al día con la comunidad.

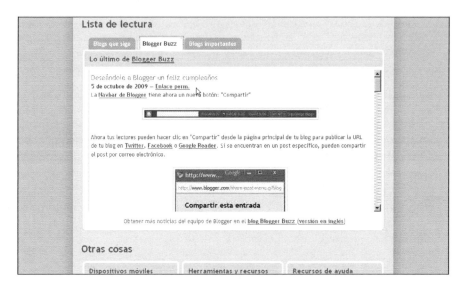

Figura 7.11. Noticias de Blogger

- **Blogs importantes**: esta última pestaña agrega diversos blogs que han sido elegidos por la gente que trabaja en Blogger. Un espacio que se actualiza regularmente y que no tiene más criterio que elegir un sitio que haya sido de gran interés. Tiene un propio espacio donde se listan las últimas diez entradas y un archivo histórico de todos los blogs que hayan sido elegidos alguna vez en la historia de Blogger.

7.2.3 Creación de entradas

Cuando haya dedicado tiempo a leer de otros o pensar sobre qué le gustaría escribir, será momento de conocer cómo se escribe en el *blog*. Habrá escuchado de cómo *postear* o publicar un *post*. Estos términos hacen referencia a lo que aquí nosotros llamamos *crear una entrada* en su *blog*, tarea principal que revisaremos a continuación.

En su página de inicio de sesión debiera tener al menos un *blog* listado en la sección de **Escritorio**. Haga clic en el botón **Nueva Entrada** del *blog* donde quiera escribir. Esto le llevará a una página de edición para crear una nueva entrada. Se le suministra un campo para el título y otro cuadro de texto para el cuerpo, con una barra de herramientas que le será familiar si utiliza algún procesador de texto como Word de Microsoft o Write de OpenOffice. El cuadro de texto tiene dos modalidades:

- **Redactar:** esta modalidad es para los usuarios normales de la plataforma. El editor de texto está dotado con funciones típicas de edición como la modificación de las fuentes, el tamaño de letra y otras opciones de composición. Contiene además botones que le ayudan a subir imágenes y enlaces Web. Utilice esta modalidad si no es un programador Web y no entiende de código HTML.

- **Edición HTML:** esta modalidad es para los expertos y permitirá a los usuarios dar formato a sus *posts* con código de construcción de páginas Web.

> **Nota**: utilice la modalidad de edición en HTML cuando quiera insertar un vídeo de otro portal Web en su propio *blog*. Los vídeos de YouTube, por ejemplo, se acompañan con el código que puede copiar y pegar directamente en el cuadro de texto estando en modo de Edición HTML.

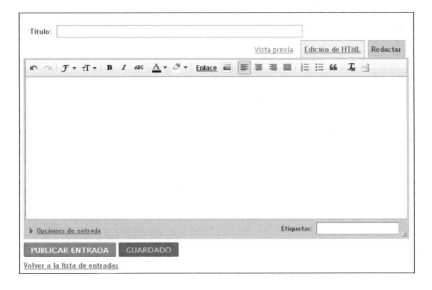

Figura 7.12. Creando una entrada en Blogger

Antes de publicar una nueva entrada, asegúrese de suministrar *etiquetas* para su nueva entrada. Las etiquetas son palabras clave relacionadas al tema de su entrada en el *blog*. Se utilizan para agrupar los *posts* según coincidan sus etiquetas y llevar una mejor organización del *blog*. El uso de etiquetas le dará la facilidad de elegir qué entradas quiere leer al filtrar los *posts* según estén etiquetadas. Para etiquetar su entrada incluya una lista separada por comas con las palabras clave que desea incluir.

No tiene que publicar inmediatamente el *post*. Puede guardar el *post* como borrador y volver a editarlo después. Las entradas no publicadas y almacenadas como borradores se listan en la pestaña **Editar entradas**. Por defecto, Blogger guarda a ratos la entrada de manera automática para que no se deba preocupar de posibles apagones o errores en su PC. Aunque siempre puede utilizar el botón **Guardar Ahora** para forzar que se genere una copia. Antes de terminar, utilice el enlace de **Vista previa** para ver en pantalla el texto a publicar tal y como se vería en el *blog*. Una vez se ha revisado y comprobado que queda como se desea, haga clic en el botón naranja **Publicar Entrada**.

Figura 7.13. Vista de la entrada publicada

7.2.4 Insertando una imagen en su entrada

Puede apoyar sus entradas de texto con el uso de imágenes y fotografía. Cuando esté editando una entrada y en modo **Redactar**, en la barra de herramientas del editor de texto existe un botón con forma de imagen fotográfica. Pulse sobre este botón para poder insertar una imagen. Aparecerá una ventana de diálogo que da la posibilidad de seleccionar una imagen en el disco duro local o bien de algún lugar en Internet mediante un localizador URL. Permite además especificar la posición en la que aparecerá dicha imagen en el artículo a publicar, dándole cierta flexibilidad en cuanto a diseño y composición.

Añadir una imagen desde su equipo
Añadir otra imagen
Examinar...
Aceptamos jpg, gif, bmp e imágenes png, de 8 MB de tamaño como máximo
O añadir una imagen de la web
Añadir otra imagen
URL
Más información acerca de la utilización de imágenes web
Elige un diseño
Ninguno
Izquierda
Centrar
Derecha
Tamaño de la imagen:
Pequeñas
Medio
Grandes
¿Utilizar siempre este diseño?
CANCELAR
SUBIR IMAGEN
Acepto las Condiciones del servicio. (Actualizado el 13/12/06)

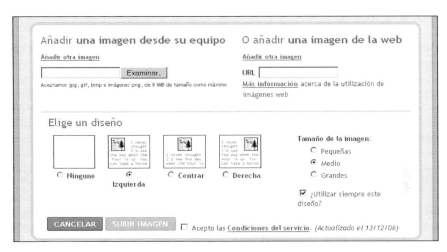

Figura 7.14. Insertando una imagen

7.2.5 Insertando un vídeo en su entrada

Al lado del botón de subir imágenes existe otro para subir vídeos. Haga clic en éste para hacer aparecer la ventana de diálogo que da la posibilidad de seleccionar el vídeo a subir desde el disco local y el título que se especificará para el *post* del mismo.

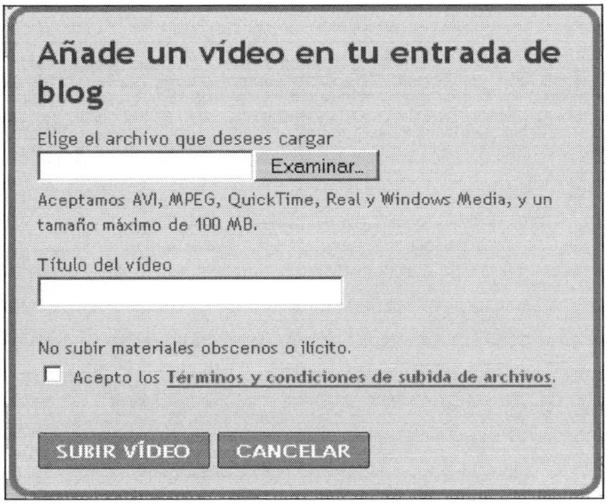

Añade un vídeo en tu entrada de blog
Elige el archivo que desees cargar
Examinar...
Aceptamos AVI, MPEG, QuickTime, Real y Windows Media, y un tamaño máximo de 100 MB.
Título del vídeo
No subir materiales obscenos o ilícito.
Acepto los Términos y condiciones de subida de archivos.
SUBIR VÍDEO
CANCELAR

Figura 7.15. Insertando un vídeo

> **Importante**: si no ve el botón de subir vídeos, puede ser que esté utilizando el editor más reciente de Blogger. Cuando esté editando el *post*, arriba aparece un menú de navegación donde se incluye la pestaña **Configuración**. Haga clic ahí y al final de la página de configuración está la sección **Configuración global**, donde puede elegir **Editor anterior** para tener disponible el botón para subir vídeos.

Puede decidir *postear* vídeos en su *blog* desde otros sitios Web como YouTube. Para hacer esto, mientras edita una entrada, haga clic en la pestaña **Edición HTML** e incluya el código Web que acompaña el vídeo. En el caso de YouTube, este código se encuentra como texto para copiar y pegar en el cuadro de texto **Insertar**. Este cuadro de texto se encuentra en el resumen del vídeo como se muestra en la siguiente imagen:

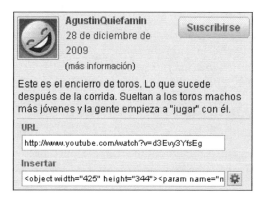

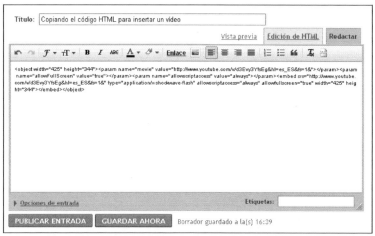

Figura 7.16. Copie el código HTML del campo "Insertar"

Si posee una cuenta de YouTube, existe la posibilidad de automáticamente publicar un vídeo enlazando el *blog* a su cuenta de YouTube. Al momento de compartir un vídeo y tener enlazado el *blog*, esta opción aparecerá junto a las otras opciones de interacción del vídeo como se muestra en la siguiente imagen desde el portal YouTube:

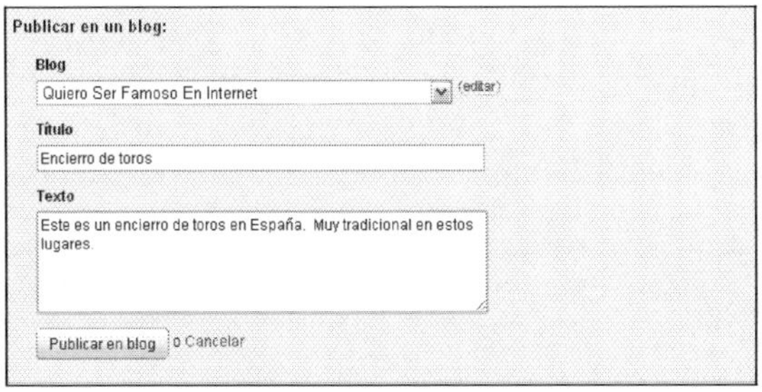

Publicar en un blog:
Blog
Quiero Ser Famoso En Internet
(editar)
Título
Encierro de toros
Texto
Este es un encierro de toros en España. Muy tradicional en estos lugares.
Publicar en blog
o Cancelar

Figura 7.17. Comparta automáticamente un vídeo desde YouTube a su blog

De esta forma, independiente del método que ha elegido, el vídeo queda incrustado en el *post* de su blog.

Agustin Quiefamin. Hazte famoso en Internet.
0:00 / 0:00
Hazte famoso en Internet.

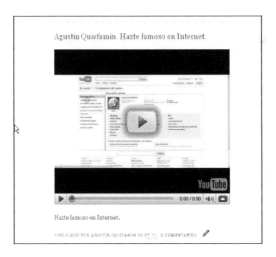

Figura 7.18. Un vídeo incrustado

7.2.6 Revisando las entradas del blog

Tener un *blog* implica también hacer mantenimiento continuo de él, lo que significa realizar tareas como la edición de las entradas ya publicadas, ya sea para borrarlas o bien corregirlas. Estando en la página de creación de entradas, haga clic en el enlace **Editar entradas** y aparecerá el listado de entradas guardadas como borradores además de aquéllas ya publicadas. Cada entrada tiene opciones básicas para visualizar, editar o suprimir la misma. Para editar una entrada bastaría con hacer clic en la opción correspondiente de la entrada a modificar, abriendo dicho *post* con el editor de textos.

Si está invirtiendo su tiempo en un sitio Web con Blogger, asegúrese de que el contenido sea de calidad. Guarde copias de sus entradas como borradores y asegúrese de trabajar la entrada bien antes de hacerla pública. En esta misma vista, filtre aquellas entradas que no estén publicadas, empiece a revisar el trabajo realizado y publique el material una vez que esté bien trabajado.

Figura 7.19. Sus entradas

7.3 PERSONALIZACIÓN AVANZADA

En las secciones previas ha aprendido cómo hacer uso básico de Blogger. Una parte muy importante dentro de lo que se entiende como mantenimiento del *blog* es la personalización del mismo de acuerdo a las necesidades y/o gustos del autor. Generalmente esta configuración se hace una sola vez, que es justo después de crear el *blog*, y no se vuelve a tocar excepto en casos muy puntuales. A continuación se hará un repaso de algunas opciones interesantes.

7.3.1 Opciones de configuración avanzada

Básico

Para acceder a las distintas opciones de configuración del *blog*, en la página de inicio de sesión en Blogger, en el listado de los *blogs* que gestiona, cada uno de ellos tiene el enlace **Configuración**. Haga clic en este enlace para ir a la página de configuración. Por defecto, se muestra la sección de configuración básica, habiendo unas ocho categorías a elegir para personalizar el *blog*. Por no comentar cada una de las opciones, se destacan las más útiles a continuación:

- **Herramientas de blog**: puede ser que quiera llevar su *blog* a otra plataforma o bien mantener una copia fácilmente recuperable. Esta sección justamente provee de los mecanismos para exportar e importar *blogs* en el formato de Blogger. Muy útil para usuarios avanzados de la plataforma. También existe la posibilidad de suprimir su blog si ya no quiere que se mantenga en línea.

- **Título**: permite cambiar el título del *blog*, el cual se muestra en la parte superior del mismo.

- **Descripción**: permite especificar/modificar una descripción del *blog* que aparecerá justo debajo del título del mismo. Trate de ser breve pero detallado para ser más interesante a los demás usuarios.

- **Seleccionar editor de entradas**: en esta opción puede especificar **Editor actualizado** o **Editor anterior** según le convengan las opciones de edición. El editor actualizado cuenta con una serie de opciones nuevas como deshacer o insertar saltos de línea. Sin embargo no cuenta con el asistente de subida de vídeos desde el disco duro como el editor anterior.

- El resto de opciones que no se comentan basta con dejarlas con las opciones por defecto.

Una vez editada la configuración básica, haga clic en el botón naranja **Guardar Configuración** para almacenar los cambios. Al final del proceso se muestra un mensaje de confirmación informando de que los cambios han sido aplicados correctamente.

Publicación

La siguiente sección en la pestaña principal de **Configuración** es la de **Publicación**. Aquí se configura el nombre del dominio donde está alojado su sitio Web. Una opción le permite enlazar su *blog* con un dominio propio que haya adquirido. Esto es muy útil para organizaciones que lo requieren por tema de imagen al público. La otra opción asume el dominio *blogspot.com*, pero puede modificar el nombre que se antepone a éste para que su URL sea más original.

Formato

La sección de **Formato** permite establecer el formato según localización de datos como la fecha, hora e idioma del *blog*. Las siguientes opciones son útiles de configurar, de las que no se muestran deje los valores por defecto:

- **Mostrar**: elija cuantas entradas de blog quiere que aparezcan en la página principal antes de ser escondidas. Por defecto esto está puesto a 7 entradas. Puede cambiar el formato a mostrar todas las entradas para los últimos X días especificados. Esto tiene el limitante de poder mostrar hasta un máximo de 500 entradas.

- **Formato de cabecera de fecha**: despliegue el menú de opciones para ver los distintos formatos para mostrar la fecha. Puede ser todo en números o en palabras y puede elegir mostrar el año o no. Ésta es la fecha que aparece en cada entrada del blog.

- **Formato de fecha del índice de archivos**: elija cómo se mostrarán los enlaces a entradas de *blog* archivadas.

- **Formato de hora**: despliegue el menú para elegir cómo se muestra la hora de la página.

- **Zona horaria**: selecciona la zona según su ubicación geográfica.

- **Idioma**: elija el idioma de su blog.

> **Nota**: ¡antes de salir de la página, recuerde guardar los cambios!

Comentarios

En la pestaña de **Comentarios** puede controlar cómo la gente interactúa con su *blog*. El siguiente listado es una muestra de las opciones más interesantes:

- **Comentarios**: permite ocultar o bien mostrar los comentarios, la opción por defecto es **Mostrar**.

> **Nota**: para los que deseen obtener más público es siempre bueno tener los comentarios habilitados. La gente puede opinar acerca de lo que escribe y para empresas es un buen método de conocer lo que quiere el público. Sin embargo, esto también invita a que gente haga uso inapropiado de su blog al introducir *spam*.

- **Persona que puede realizar los comentarios**: aquí se especifica quién podrá realizar comentarios en tu blog, la opción por defecto es **Usuarios registrados**, pero si se desea que todo el mundo pueda comentar las entradas del blog hay que marcar la opción **Cualquiera**.

- **Formato de hora de los comentarios**: permite especificar el formato de fecha y hora que aparecerá en cada comentario.

- **Moderación de comentarios**: ésta es la opción que permite realizar un filtrado de los comentarios que los usuarios hacen en el *blog*. Cada vez que se realice un comentario aparecerá un enlace en su escritorio de Blogger, permitiendo revisar dicho comentario antes de ser publicado. La opción por defecto es **Nunca**, pudiendo seleccionar **Siempre** o sólo en entradas publicadas **X** días antes. Si especifica una dirección de correo, cada vez que un usuario realice un comentario se le avisará del evento mediante ese correo.

Permisos

La última de las pestañas de configuración a resaltar es la de **Permisos**. Aquí se permite añadir usuarios que puedan ser autores del *blog* e incluso definir qué usuarios pueden ver su *blog*. Por defecto todos los usuarios pueden ver el *blog*, pero se puede especificar que sólo los autores del *blog* puedan verlo o incluso una lista de usuarios predefinidos.

Puede ser que quiera utilizar la plataforma para realizar investigaciones en equipo y no está previsto hacer el estudio público. Puede ser utilizada como una plataforma interna de una organización, en cuyo caso esta opción de privacidad tiene mucho sentido. No permitir a nadie entrar también puede ser útil mientras se está realizando la configuración o diseño del *blog*.

Figura 7.20. Configuración de permisos

Nota: ¡cuidado con dar permisos de administrador! En ocasiones interesa que más de una persona pueda crear entradas en el *blog,* pero es importante que sólo el propietario del mismo tenga permisos de administrador. El administrador puede cambiar configuraciones globales que pueden afectar el funcionamiento normal del sitio, esta responsabilidad es mejor que la tenga la menor cantidad de personas posibles.

7.3.2 Configure una nueva plantilla de diseño

A la hora de crear el *blog* se eligió una plantilla de diseño Web que se incluye en Blogger por defecto. Se puede seguir modificando la apariencia de su *blog* mediante la página de **Diseño**. Desde la página de inicio de sesión y en el listado de blogs gestionados, haga clic en el enlace **Diseño** del blog del que quiere modificar su aspecto. Aquí podrá instalar y ubicar los *gadgets* en distintas partes, pero hay que tener en cuenta que determinados complementos o configuraciones de los mismos quedan bien en una plantilla y en otra no.

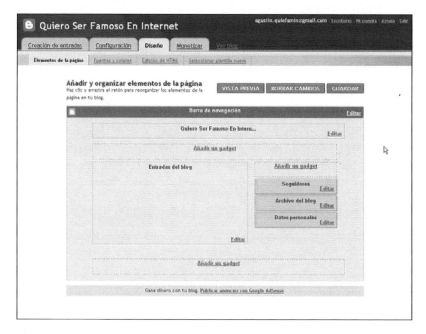

Figura 7.21. Diseño del blog

El primer cambio que se debe realizar en el diseño del *blog* es cambiar la plantilla seleccionada, ya que éste es el cambio de apariencia global y en base a esta plantilla se podrá ver qué opciones de diseño puede modificar. Estando en la página principal de configuración, haga clic en la subpestaña **Seleccionar plantilla nueva**. Aquí podrá explorar el listado de las plantillas que tiene incluidas Blogger por defecto.

Para tener un abanico más amplio de posibilidades, existen páginas dedicadas a suministrar plantillas para el servicio Blogger. Una que se puede destacar es la página Web *www.btemplates.com*, donde tendrá más de mil plantillas distintas organizadas por estilos y color. Una vez elegida la plantilla que más se adapte a la temática de su *blog*, descargue ésta en el disco local. El fichero en el que viene la plantilla está comprimido en formato *zip*. Descomprima el fichero y dentro de la carpeta que se genera encontrará dos ficheros de texto y otro con el mismo nombre que la plantilla y con extensión .xml.

En la página de **Diseño** de su blog, diríjase a la subpestaña **Edición HTML**. Aquí podrá realizar las gestiones necesarias para respaldar su actual plantilla además de subir la nueva.

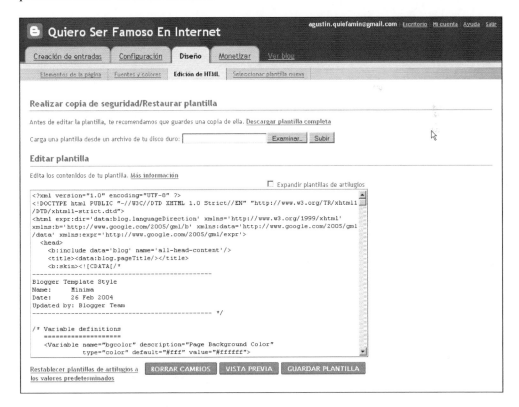

Figura 7.22. Edición de HTML

En la primera sección de la subpestaña **Edición HTML,** se proporciona el enlace **Descargar plantilla completa**. Esta opción descarga en su ordenador un fichero con extensión .xml con toda la información de la plantilla actual de diseño. Es altamente recomendable realizar esta operación y guardar este fichero lo mejor posible antes de realizar algún cambio en la plantilla, ya que si por cualquier motivo se produce un error, puede volver a subir este fichero respaldado para que quede como antes.

Para subir una plantilla está la opción **Cargar una plantilla desde un archivo de tu disco duro**. Haga clic en el botón que tiene al lado para examinar su disco local y seleccione el fichero en formato .xml de la plantilla descargada.

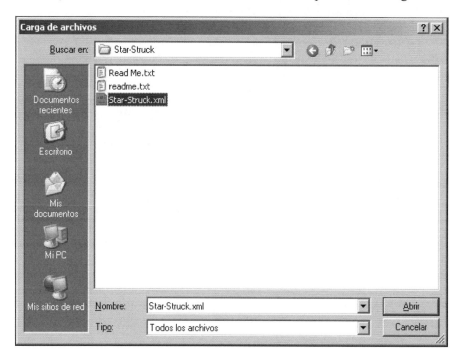

Figura 7.23. Seleccione la nueva plantilla

Una vez seleccionado el fichero de la plantilla, haga clic en el botón **Subir** y en ese momento se informará de los complementos instalados en el *blog* que son incompatibles con la plantilla elegida y se dará la opción de **Confirmar y Guardar** o **Cancelar**. Si anteriormente hizo una copia de la plantilla original, proceda ha confirmar la acción haciendo clic en el botón **Confirmar y Guardar** sabiendo que siempre puede subir la plantilla respaldada. En ese momento se mostrará si se han guardado o no los cambios y tendrá la opción de ver cómo ha quedado el *blog* con el nuevo tema instalado.

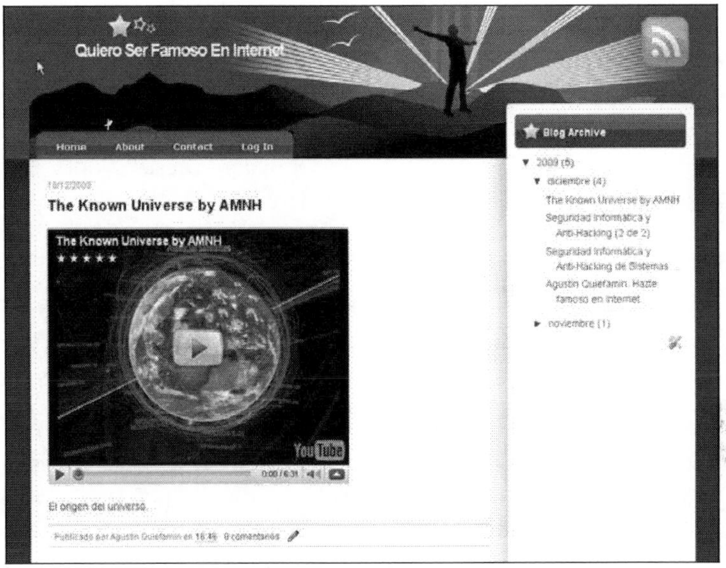

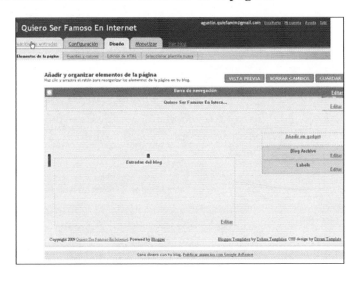

Figura 7.24. Aspecto del blog con nueva plantilla

7.3.3 Configurando los elementos de su página

Una vez subida una plantilla que le guste, sólo queda configurarla con los complementos deseados. Para empezar, diríjase a la página de configuración de su *blog* y entre dentro de la sección **Elementos de la página**.

Figura 7.25. Diseño del blog

En esta ventana se representa el *blog* dividido en 3 secciones principales (dependiendo de la plantilla que se esté ocupando), todas ellas con un enlace de **Editar**. La descripción de cada elemento se presenta a continuación:

Nota: los cambios que vaya realizando se pueden ver mediante el botón de **Vista Previa**. Recuerde guardar los cambios antes de salir de esta página de configuración.

- **Cabecera del blog**: es la parte superior del *blog* donde aparecerá el título así como una breve descripción sobre la temática del mismo, haciendo clic en el enlace **Editar** se podrán modificar estos valores, así como subir un propio logo desde un fichero en su ordenador.

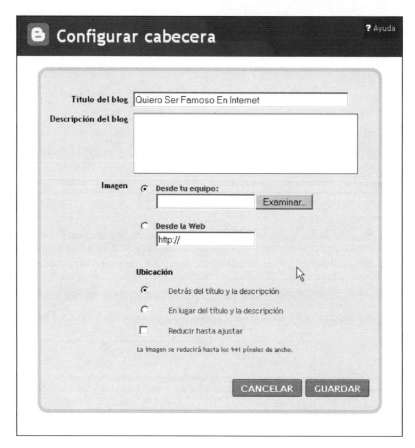

Figura 7.26. Editando la cabecera del blog

- **Entradas del blog**: es la parte principal del *blog,* donde aparecerán las entradas publicadas en el blog. En esta opción se podrá configurar todas las opciones que aparecen en la pestaña **Configuración**, en la subpestaña **Formato** y además cuadrar de una forma gráfica dónde aparecerá cada elemento de esta parte del *blog*.

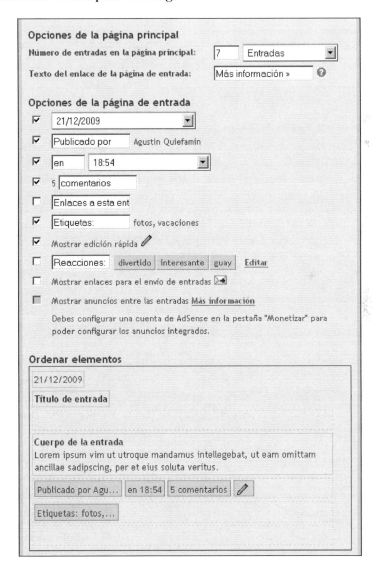

Figura 7.27. Editando cómo se muestran las entradas del blog

- **Añadir un gadget**: en esta sección se podrán instalar y/o configurar distintos *gadgets* (complementos) del *blog*. Estos *gadgets* son mini aplicaciones que darán funcionalidades extra al *blog*. Ya tiene instalados algunos como el **Archivo** que permite llevar un almacenamiento de todas las entradas publicadas agrupadas por mes o la nube de **Etiquetas** que permitirá mostrar todas las etiquetas definidas en el *blog*. Aparte de los complementos ya instalados, los cuales pueden ser configurados haciendo clic en su enlace de **Editar**, se pueden añadir más haciendo clic en el botón **Añadir gadget**.

En ese momento aparecerá una ventana con los 20 complementos considerados básicos, algunos de los más interesantes a incluir en la página podrían ser **Lista de blogs**, que incluiría una lista de *blogs* que el autor puede elegir. Éstos se mostrarían en un panel lateral del sitio publicado. Puede también utilizar el *gadget* **Perfil**, que incluiría el perfil del usuario en el mismo panel del blog. Para añadir cualquiera de estos *gadgets* bastaría con hacer clic en el botón con el signo "+" a la derecha de cada complemento.

Figura 7.28. Eligiendo gadgets

Tras realizar estos cambios haga clic en el botón naranja de **Guardar** para aplicar los cambios. Una vez hecho esto, habrá terminado de configurar su blog. En este ejemplo, el *blog* tiene la plantilla seleccionada previamente y algunos *gadgets* más a la derecha.

Nota: sólo incluya complementos que se descarguen de sitios Web confiables, ya que un *gadget* puede contener fallos.

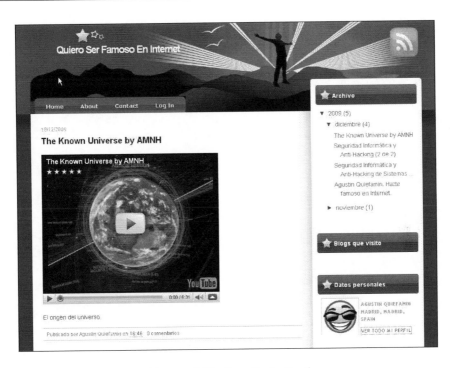

Figura 7.29. Resultado final

7.4 CONCLUSIÓN

En este punto no hay más que decir, a lo largo de este capítulo ha visto cómo registrar su propio blog y cómo empezar a navegar en la red social de Blogger. Ha aprendido a cómo editar entradas y puede insertar imágenes y vídeos en sus publicaciones. Después de configurar los aspectos básicos se repasaron más opciones de configuración avanzada para personalizar el sitio Web. Al final del capítulo ha aprendido cómo conseguir más plantillas de diseño y ha visto cómo instalarlo así como configurar los elementos Web que contiene.

Lo único que queda por decir es que Blogger es una plataforma completa y apta para todos los gustos. Ha podido comprobar que no requiere de grandes conocimientos técnicos salvo algunas excepciones y en general cualquier persona lo puede utilizar. Ésta es definitivamente la mayor ventaja que se puede destacar del portal de Blogger. Aproveche esta maravillosa plataforma para conocer a más gente o llegar a publicitarse ante más audiencia. Cualesquiera que sean sus motivos, lo más importante siempre es que se divierta haciéndolo.

Capítulo 8

MYSPACE

8.1 INTRODUCCIÓN

En este capítulo aprenderá a usar MySpace, la red social que fue adquirida por Rupert Murdoch, fundador y presidente de News Corporation (previamente conocida como Fox Interactive Media). Se repasará desde lo básico, cómo crear una cuenta de usuario y configurar su perfil, hasta la utilización de funciones avanzadas como subir vídeos y personalizar el diseño. Dispondrá de una página de perfil de usuario que podrá editar según le convenga y utilizar como plataforma para compartir sus opiniones como ciudadano de esta Web social o bien generar espacios de interés.

8.1.1 ¿Qué es MySpace?

Es un sitio Web para la interacción social que contiene una amplia gama de servicios y contenidos incluyendo redes de amigos, blogs, grupos, mensajería interna, vídeos y "especialmente música". El fundador del portal fue Tom Anderson, apoyado por un equipo de la empresa Intermix Media, previamente conocida como eUniverse. Dentro de este equipo estaba Brad Greenspan (CEO de eUniverse) quien contaba con Chris DeWolfe, Josh Berman y el mismo Tom Anderson. Originalmente, el dominio *myspace.com* tenía como intención ser utilizado como espacio de almacenamiento on-line. Fue gracias al esfuerzo del CEO de eUniverse que se pudo llegar a un acuerdo con la empresa que lo tenía originalmente registrado para que de esta manera, se pudiese realizar la transición del portal original a una Web de interacción social.

El portal de MySpace abarca mucha más popularidad en EE.UU. comparado con otros portales que se han enfocado en el panorama internacional. Fue después de la adquisición por parte de News Corp cuando se empezó a reestructurar el portal tanto en diseño como en funcionalidad para empezar a competir con portales como Facebook. La estrategia principal es favorecer a los aspirantes músicos y artistas a utilizar el portal como una plataforma de difusión. La ventaja de utilizar MySpace frente a otros portales es un acuerdo recientemente hecho con grandes compañías discográficas como Sony BMG Music Entertainment y Warner Music Group para promover una alternativa al servicio iTunes de Apple.

MySpace sigue siendo un portal enfocado al desarrollo de las redes sociales para toda la gente y no solamente para artistas. Con más de 200 millones de usuarios registrados, es uno de los sitios Web más visitados después de Google, Yahoo!, MSN y YouTube. La mayoría de la población de EE.UU. conoce el servicio y ha empezado a ganar territorio fuera del país habiendo ya internacionalizado el portal.

8.1.2 Los tipos de cuenta en MySpace

En primer lugar, para comenzar a utilizar MySpace será necesario conocer qué tipos de usuarios se puede uno encontrar en esta comunidad. Existen tres grandes grupos que engloban a la gran mayoría. La minoría restante se basa en cuentas de publicidad, usos indebidos y demás temas que no trataremos en este capítulo. Los tres tipos de usuarios principales son:

- **Artistas**: son perfiles de usuarios que utilizan este servicio Web para darse a conocer mediante Internet. Muchos han tenido ya éxito de esta manera y MySpace fomenta este tipo de comunidad mediante el uso de aplicaciones Web para difundir contenidos de vídeo y música. El perfil de un artista se suministra con un reproductor de vídeo, por ejemplo, para dar a conocer sus nuevos trabajos. Artistas internacionales más conocidos en el mundo de la música, el mundo de la comedia y el cine se han motivado a crear sus perfiles de esta manera. Por esto actualmente, hay muchos usuarios ya famosos que usan MySpace para promocionar aún más sus trabajos.

- **Admiradores**: hay que comentar que como en casi todas las redes sociales, nacen cuentas administradas por admiradores de los artistas nombrados anteriormente. Estos perfiles tienen una serie de privilegios que un usuario común no tiene. Un ejemplo es el uso de reproductores de música en su perfil con listas de música selecta para compartir con otros de la comunidad. Esto se debe a que al registrarse seleccionan el tipo de cuenta de un artista, por lo que tienen su misma estructura en el perfil.

- **Personales**: he aquí el tema que nos atañe. Para gente que tiene ganas de darse a conocer en Internet, conocer a gente o simplemente hablar con sus amigos. Esto junto con las diversas funciones que incorpora MySpace, como la incorporación de imágenes a su perfil, compartir vídeos y otras muchas opciones serán tratadas en su debido momento dentro de este capítulo.

> **Nota**: si selecciona el tipo de perfil de músico, artista o cómico obtendrá unas opciones adicionales como poder subir canciones o monólogos. Debe tener en cuenta que todo lo que suba lo está subiendo públicamente, por lo que entrarán en juego los derechos de autor.

8.2 CREACIÓN DE UNA CUENTA Y PRIMEROS PASOS

En este apartado aprenderá a crear su cuenta de MySpace. Se repasarán las características básicas para modificar su perfil. Verá las distintas secciones de configuración que existen y dónde se debe prestar más atención para poder configurar su nivel de privacidad. Se verán las opciones necesarias para agregar a sus amistades, cómo mantener el contacto y cómo interactuar con el resto de la comunidad.

8.2.1 Obtenga su cuenta en MySpace

Para empezar a crear su cuenta, deberá abrir su explorador Web preferido y dirigirse al portal Web de MySpace en *www.myspace.com*. Una vez en la página Web, localice el recuadro de inicio de sesión. En ese mismo recuadro haga clic en la pestaña **Regístrate!**, y será llevado al formulario de registro.

Figura 8.1. Recuadro para el inicio de sesión

A continuación, debe facilitar los siguientes datos que MySpace pide en el formulario:

- **Dirección de correo electrónico**: escriba la dirección de correo que desea utilizar para la creación de cuenta en MySpace. Aquí le llegarán notificaciones referentes al portal y posteriormente se utilizará para iniciar sesión.

- **Contraseña**: campo donde debe introducir su contraseña de inicio de sesión.

> **Nota**: recuerde utilizar una contraseña fuerte para que no le quiten su perfil. Trate de que esta contraseña no sea la misma que la de su cuenta de correo e intente incluir letras mayúsculas y minúsculas además de números para añadir complejidad.

- **Nombre completo**: su nombre y apellidos. Mientras que podría utilizar un seudónimo, su experiencia puede mejorar si comparte su nombre real. Sus amigos le buscarán por este nombre si deciden entrar en MySpace.

- **Fecha de nacimiento**: seleccione en los tres menús desplegables su día, mes y año de nacimiento. Este dato aparecerá en su perfil, página que será disponible al resto de la comunidad si así lo decide.

- **Sexo**: ¿hombre o mujer?

- **Casilla de confirmación**: active esta casilla aceptando las condiciones de uso y la política de privacidad de MySpace. Puede no parecerle de interés, pero tómese su tiempo en ver las normas de uso si planea utilizar MySpace como plataforma de difusión ante sus admiradores.

Ahora deberá aparecer un código de verificación que debe introducir por seguridad de MySpace. Si no entiende bien las letras, puede refrescar la imagen hasta que aparezcan letras más legibles. Haga clic sobre el botón con las dos flechas curvas para actualizar la imagen de seguridad.

Figura 8.2. Introducción de código de verificación

A continuación aparecerá un asistente para buscar a sus amigos en su proveedor de correo electrónico. Si el correo que indicó en el proceso de registro pertenece a Google, por ejemplo, el asistente le sugerirá conectarse al servicio de Gmail para buscar entre sus contactos. Lo que hace esta parte del registro es buscar qué amigos ya están registrados en MySpace que además se encuentran en su agenda de contactos. Esto establece que ya son amigos y se le sugiere añadirles a éstos primero. Si sus amistades no están registradas en MySpace, la plataforma puede enviarles una invitación para que se unan. Si utiliza algún otro proveedor de correo como Yahoo! o Hotmail, puede repetir esta acción para tener a más amistades de una sola vez. Si lo desea, puede saltarse este paso haciendo clic en el enlace **omitir este paso**. Si omite este paso, se le pedirá entrar en su cuenta de correo para confirmar si su cuenta es válida.

> **Nota**: MySpace se compromete a no utilizar las cuentas de correo dentro de su agenda para realizar *spam*, ni compartirá esta información con terceros. Únicamente las usará para enviar una invitación a sus contactos para que se unan a MySpace.

Figura 8.3. Invitando sus contactos a MySpace

MySpace le invita a seguir a artistas que utilizan la plataforma o añadir alguna aplicación de juegos sociales. Añada algunos de ellos o simplemente omita este paso si no le parece de interés.

Figura 8.4. Agregando contenidos a su perfil

Una vez que tenga sus datos principales introducidos, seguirá configurando aspectos básicos de su cuenta como su imagen de perfil. Elija de los ficheros en su PC una imagen que pueda tener de usted mismo y prosiga con la configuración de su cuenta. Si tiene una cámara Web disponible, se puede activar una aplicación que puede sacar su foto instantáneamente.

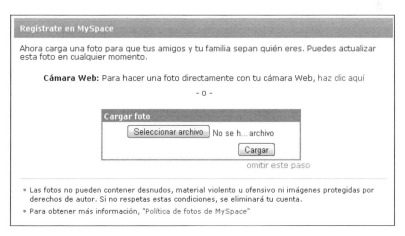

Figura 8.5. Cargue una imagen de su ordenador o saque una foto con su webcam

Nota: las mejores imágenes de perfil son las que muestran un acercamiento de su rostro. Podría parecer buena idea poner una foto con un bello trasfondo, pero en la imagen reducida, apenas se le reconocerá la cara.

El siguiente paso le pide añadir su colegio. Éste es un buen dato a introducir para pertenecer a una subred dentro de MySpace que hará más fácil agregar a gente que conozca o haya conocido y quiere recuperar el contacto. Tiene también la opción de omitir este paso para dirigirse a la última parte del registro.

Figura 8.6. Elija su colegio y país de estudio

Por último, va a introducir información sobre su localización, siendo todo esto útil a la hora de que alguien le quiera buscar en la red. Puede seleccionar sólo los dos primeros menús desplegables si no desea ser muy detallado, aunque para gente que quiera compartir con gente de su barrio, es un dato muy útil a aportar.

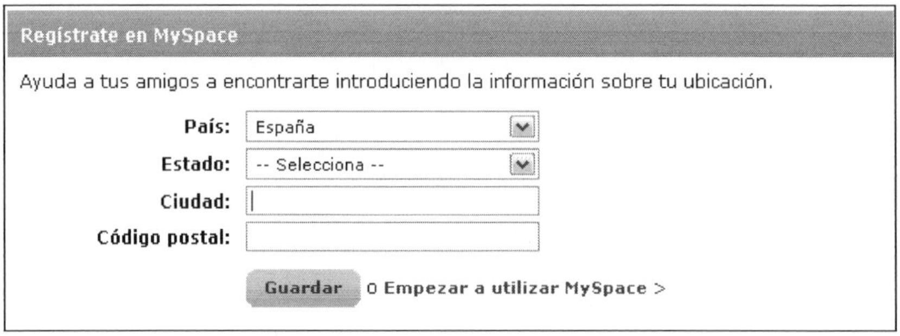

Figura 8.7. Introduzca sus datos de localización

8.2.2 Configurando el perfil de usuario

Una vez que haya creado su perfil de usuario, deberá configurar aspectos básicos de su cuenta para comenzar a utilizarlo de forma eficiente. Lo primero que le pide MySpace es modificar su propia URL. Justo debajo del menú superior de navegación y la bienvenida, haga clic en el enlace **Elige tu URL de MySpace**. Este enlace le enviará a un asistente para elegir un localizador URL personalizado que se parecería al siguiente ejemplo: *www.myspace.com/agustinquiefamin*.

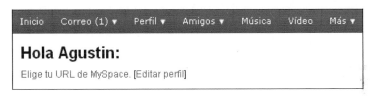

Figura 8.8. Elija una URL personalizada

Para seguir configurando su perfil, haga clic en el enlace **Editar perfil** debajo de la bienvenida a MySpace. Será dirigido a una página donde puede escribir una pequeña biografía suya. Su perfil se divide en más secciones, siendo éstas accesibles desde el menú lateral a su izquierda. Las distintas secciones se detallan a continuación:

- **Acerca de mí:** en este apartado podrá incluir información sobre su personalidad y qué tipo de personas le gustaría conocer. Podría escribir sólo texto, pero este apartado tiene una funcionalidad que no se ve a primera vista. Dentro del recuadro, puede incluir código de programación Web HTML, para dar un toque personal a su perfil de usuario.

- **Intereses:** esta sección contiene múltiples recuadros donde podrá listar los diversos intereses que pueda tener en las categorías mostradas. Estas categorías incluyen: música, héroes, deportes, programas de televisión, libros e información general sobre sus intereses para mostrarlo a los demás usuarios. Al igual que en el apartado anterior, aquí podrá incluir código HTML si así lo desea.

- **Información básica:** aquí podrá editar los datos introducidos en el proceso de registro y además cambiar su imagen principal de perfil.

- **Detalles:** en este apartado deberá cuidar la información que facilita ya que MySpace pide una serie de datos personales que quizá no desee compartir. Todos los apartados que no desee rellenar los puede dejar sin respuesta.

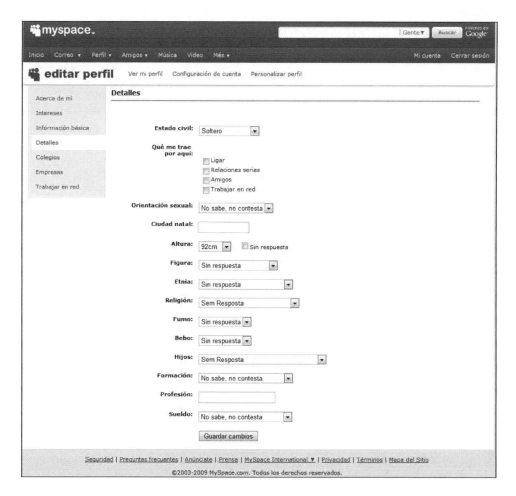

Figura 8.9. Perfil detallado de usuario

- **Colegios**: esta sección la puede utilizar para especificar el colegio al que asistió. Puede decidir simplemente detallar la localización de su colegio hasta llegar a niveles detallados de años estudiados y su especialización. Esto podría beneficiarle si utiliza su perfil como currículo de trabajo ante posibles empleadores.

- **Empresas**: utilice este formulario para detallar la empresa dónde trabaja actualmente o bien de dónde acaba de salir. Un buen dato si utiliza su perfil como currículo de trabajo como se ha comentado anteriormente.

- **Trabajar en red**: esta sección es para especificar su campo profesional. Eligiendo su campo, área y especialización, MySpace puede facilitarle mejores contactos que le pueden ayudar en su carrera profesional.

Una vez terminado de llenar su perfil, existen otras dos secciones que puede aprovechar para configurar aspectos avanzados de privacidad además del aspecto de su página personal en MySpace. Estando en la página de edición de perfil, debajo del menú principal de navegación existen otros enlaces que le dirigirán a las secciones mencionadas:

Figura 8.10. Las opciones disponibles en su página de edición de perfil

- **Configuración de cuenta**: en esta sección puede pasar bastante tiempo configurando las opciones de comportamiento de MySpace. Diríjase aquí si quiere realizar operaciones sencillas como cambiar su contraseña, cambiar su cuenta de correo asociada o cancelar su cuenta. Las operaciones avanzadas que debiera tomarse su tiempo en investigar incluyen:

  o **Privacidad**: esta sección le permite definir su audiencia. Es decir, a quién permite ver su contenido de MySpace. Para cada elemento a configurar, podrá decidir si todos tienen permiso, los amigos de sus amigos o solamente las amistades directas. Por defecto, MySpace asume que lo quiere compartir todo con cualquier persona. Si esto no es de su agrado, diríjase inmediatamente a esta sección y cambie sus niveles de privacidad.

Nota: todos los datos que usted introduzca estarán a la vista en su perfil. Debe cuidar la información que facilita si decide compartir con todos. Datos como su sueldo pueden atraer atención de gente no deseada y hacerle objetivo de secuestro o robo. Piense dos veces antes de hacer público cualquier dato que proporcione demasiada información acerca de dónde vive o lugares que frecuenta.

o **Notificaciones**: para no inundar su correo electrónico, puede elegir de manera detallada qué tipo de notificaciones quiere recibir. Por defecto recibirá notificaciones por todas las acciones disponibles en su perfil. Esto puede ser abrumante si tiene muchos amigos continuamente dejando comentarios, invitándole a grupos de conversación o cualquiera de las otras acciones que puedan realizar sobre su perfil.

o **Integraciones**: otras opciones disponibles en el menú tienen que ver con la sincronización de actualizaciones con otras plataformas de red social donde también pueda estar registrado. Por ejemplo, podría integrar todas sus actualizaciones de estado con la plataforma de Twitter. Otra opción es integrar su dispositivo móvil para enviar imágenes que realice con su cámara al poder enviarlas a un correo electrónico específico para su cuenta.

- **Personalizar perfil**: para tener un MySpace diferente y original puede cambiar completamente el aspecto de su perfil. Cuando haga clic en este enlace, la página cambiará para acomodar un asistente de personalización en la parte superior de la página Web. Aquí dispondrá de las siguientes acciones para el cambio de aspecto:

o **Seleccionar tema y configurar diseño**: en formato, podrá elegir un trasfondo prediseñado por MySpace. Tiene más de cien a elegir, así que hay para todo tipo de gustos. Su página personal estará llena de pequeños recuadros con diversas funcionalidades como mostrar sus amigos o sus detalles personales y de trabajo. Puede elegir cómo acomodar los distintos tipos de contenidos eligiendo los formatos prediseñados. Si es un usuario avanzado con conocimientos de programación Web, podrá personalizar aún más este formato al introducir su propio código CSS.

o **Elegir módulos**: los diversos recuadros con funcionalidad dentro de su página personal los puede activar o desactivar desde esta sección. Puede además elegir entre otras funcionalidades interesantes para el tipo de audiencia que desea. Si quiere homenajear a su artista preferido, puede elegir activar un reproductor de música para que la gente escuche los temas que ha preseleccionado.

Figura 8.11.Utilice el asistente de edición de perfil de MySpace

8.2.3 Actualizaciones de estado y humor

Algo que comparten varias redes sociales es el *microblogging*. Las pequeñas actualizaciones de su estado actual para compartir rápidamente con su red de amigos. En cuanto entre en una sesión de MySpace se encontrará en la página de inicio del portal. En el centro de la página se encontrará con la pregunta "¿Qué estás haciendo en este momento?". Esto es una forma de invitarle a responder y compartir algún comentario con su red de amigos.

Figura 8.12. La actualización de estado y humor

Para incentivar respuestas cortas, el límite de caracteres que puede introducir es de 160. Algo que diferencia esta actualización de estado de otras parecidas de otras redes es la capacidad de acompañar el mensaje con un estado de ánimo. Elija del menú desplegable un estado de ánimo que refleje el suyo y compleméntelo con un *emoticón*, figuras caricaturescas que reflejan emociones humanas.

Una vez publicado su estado, justo debajo verá un histórico de mensajes realizados por otros usuarios amigos y las actividades que realizan. Los mensajes de actividades son proporcionados por aplicaciones que publican tus puntuaciones en juegos o algún reconocimiento obtenido. Inicialmente, además de ver sus propios mensajes publicados, dependiendo de la red donde se haya conectado, tendrá mensajes de la oficina central de MySpace. En el caso de España, tendrá mensajes de **La Oficina**, el espacio oficial de MySpace España.

Figura 8.13. Vea el histórico de mensajes y actividades

8.2.4 La página de perfil

Cuando otros usuarios quieran saber más de su usuario, lo normal es que se dirijan a la página de su perfil. Aquí se encontrarán con distintas acciones disponibles para interactuar con su usuario. La información que puede ver una persona totalmente desconocida depende de cómo de estricto haya sido en el momento de configurar las opciones de privacidad para su cuenta.

Figura 8.14. Su perfil público en MySpace

El primer recuadro muestra su imagen de perfil, su nombre en MySpace y los datos que ha permitido mostrar. Al lado de su imagen se muestra el último estado de actualización que ha realizado su usuario además de cuánto tiempo ha transcurrido desde su realización. Debajo del recuadro principal verá los diversos módulos que ha configurado previamente en la personalización de su perfil. Estos pueden incluir los vídeos que desea compartir, el histórico de sus actualizaciones y estado de humor, y el recuadro para ver quiénes son sus amigos.

Si alguien quiere hacer seguimiento de su perfil o le conoce en su vida real, querrá añadirle como un amigo. En el recuadro principal donde se encuentra su avatar, existe el enlace **Añadir a Amigos**. No basta, sin embargo, sólo hacer clic sobre este enlace para que la persona interesada le añada como amigo. En su sesión de usuario, encontrará una alerta notificándole que alguien quiere ser su amigo.

Figura 8.15. Alguien quiere ser su amigo

Cuando haga clic sobre la notificación, será llevado a la página de peticiones, donde se listarán las diversas personas pidiéndole amistad. Podrían ser peticiones de otros perfiles que tan solo quieren enviarle publicidad, en cuyo caso puede rechazar la petición o marcar esta petición como **Correo no deseado**.

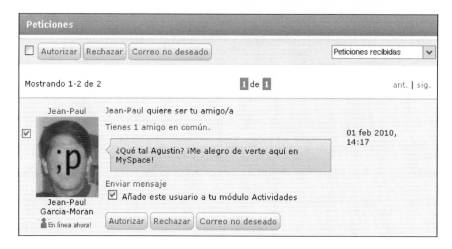

Figura 8.16. Confirme las peticiones antes de que le añadan

8.3 NAVEGANDO EN LA RED SOCIAL

En este punto del capítulo debería tener su perfil configurado y tener al menos una amistad con quien pueda intercambiar mensajes. En el siguiente apartado aprenderá cómo utilizar las diversas herramientas que le ofrece MySpace para interactuar con otra gente de la comunidad. Podrá utilizar los servicios de mensajería interna y además buscar grupos de conversación sobre temas de su interés.

8.3.1 Manteniendo el contacto con sus amigos

Para poder mantener contacto con sus amistades tiene disponible un gran abanico de posibilidades. Dependiendo de qué módulos y opciones haya habilitado, tiene para elegir entre distintas opciones, cada una con características únicas. A continuación se listan las maneras más comunes para mantener contacto con su red de amigos:

Comentarios

Una manera básica de mantenerse comunicado es la inserción de comentarios en otros perfiles de usuarios. Para dejar comentarios en su perfil basta con estar registrado como usuario en MySpace, permitiendo a cualquier persona escribir en su página de comentarios (aunque nunca anónimamente). Esto lo puede controlar, sin embargo, permitiendo que sólo sus amigos puedan ver la página de comentario mediante las opciones de privacidad. Estos mensajes son públicos, pudiendo todo el mundo leer qué han escrito otros usuarios acerca de su persona.

Muchas empresas han creado perfiles en MySpace para establecer una comunicación directa con posibles consumidores. Dan la posibilidad de dejar comentarios en su perfil a cambio de su amistad. Algunos aprovechan la oportunidad para dejar críticas constructivas y otros usuarios toman la iniciativa para publicitar su perfil o sitio Web personal sabiendo que muchos visitan el perfil en cuestión. Un ejemplo de empresa que puede visitar es *http://www.myspace.com/coca-colazero,* un perfil creado para publicitar la bebida gaseosa para la comunidad argentina.

Chat

Una vez haya agregado a sus amigos podrá establecer una comunicación en tiempo real con ellos. En la parte inferior de su navegador se encontrará con el botón **Amigos en línea**. Por defecto no encontrará a nadie dentro del listado de contactos. Para añadir a las amistades que tiene y poder hablar con ellos por el servicio de Chat, al abrir la ventana de la mensajería instantánea, verá la opción **Personalizar los amigos de IM**. Haga clic en este enlace y será llevado a la página que le ayuda a configurar los amigos que quiere ver en su Chat.

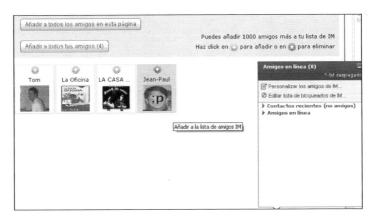

Figura 8.17. Añada a sus amigos al servicio de Chat

Correo electrónico

MySpace ofrece el servicio de mensajería interna con una aplicación que le resultará muy cómoda debido al gran parecido que tiene con la mayoría de servicios de correo electrónico Web. A diferencia de escribir en la página de comentarios de su amigo, este servicio mantiene la conversación privada ante otros usuarios.

Este servicio no sólo permite mensajería interna entre amistades. También le permite mandar mensajes fuera de MySpace mediante correos electrónicos. Para que le puedan escribir de vuelta, deberá configurar una dirección propia de *@myspace.com*. Dentro de su buzón de entrada encontrará el enlace que le invita a crear su propia dirección en MySpace y éste le dirigirá al asistente de creación de correo electrónico.

Figura 8.18. Su buzón de entrada en MySpace

8.3.2 Foros de discusión

Cuando quiera conocer a gente nueva o simplemente hablar con personas distintas, lo mejor que puede hacer es dirigirse a un foro de mensajes. MySpace trata de abarcar las funcionalidades más comunes de Internet, y mucha gente usuaria de Internet está ya familiarizada con el uso de los foros. Si desea compartir su opinión con otros o pertenecer a un grupo de personas que le agrade, MySpace le brinda esta posibilidad.

Para empezar, en el menú principal de navegación, diríjase a **Más** > **Foros**. Al hacer clic sobre este enlace, será llevado a la página principal de foros de MySpace. Éstos se enumeran por las categorías principales de conversación. Todos son públicos y puede entrar en cualquier categoría de foro para empezar un nuevo tema o bien opinar en alguno existente que esté abierto.

Figura 8.19. Foros de mensajes en MySpace

Muchos de los temas generales son cadenas que empiezan con una pregunta como "¿Qué quieres?". Este tipo de cadenas normalmente tienen mucho éxito puesto que a la gente le agrada seguir el juego. Otra utilidad que le puede dar a los foros es simplemente hacer alguna pregunta para ver si la gran cantidad de usuarios registrados le pueden ayudar con un problema. Si tiene constantes problemas con su sistema operativo, encontrará en el foro de Ordenadores una comunidad muy amigable dispuesta a tratar de arreglar sus problemas informáticos.

8.3.3 Compartiendo vídeos, imágenes y música en MySpace

Algunos dicen que una imagen vale más que mil palabras. Éste es el caso hoy en día gracias al gran número existente de tecnologías de cámaras digitales. Por mediación de los dispositivos móviles, todos tienen la oportunidad de compartir momentos en familia y amistad o simplemente compartir alguna imagen oportuna. Sean fotos o imágenes, muchos portales tienen la capacidad de compartir este tipo de contenido. A continuación se describe cómo compartir ficheros multimedia en su red de amigos de MySpace.

Fotos

Para subir fotos, diríjase primero a la página de inicio. El recuadro que contiene su imagen de perfil contiene además los controles necesarios para subir o editar sus imágenes. En el control para **Fotos**, haga clic en **Cargar**. Esto le llevará a un asistente para elegir múltiples imágenes de su disco duro y poder subirlas a su perfil. El asistente requiere que tenga instalado Java y si no lo tuviese se le asistirá para instalarlo.

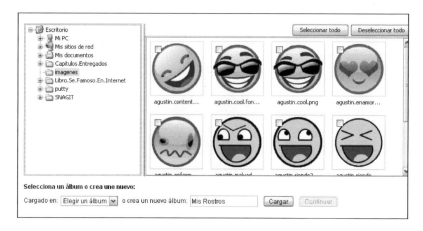

Figura 8.20. Asistente de subida de imágenes

El asistente le permitirá ser selectivo en el momento de subir múltiples imágenes. En el momento de subirlas, puede crear un nuevo álbum para categorizar mejor sus imágenes o bien subirlas a un álbum ya creado. Antes de ser subidas, a cada imagen se le puede añadir un subtítulo para comentar la escena capturada. Además de esto, en cada imagen puede identificar a las personas que aparecen etiquetando su rostro mediante el asistente de creación del álbum. Esta etiqueta luego se convierte en un enlace que dirige a los usuarios de MySpace hacia el perfil de la persona identificada en la foto. Cada álbum lo puede configurar para poder ser visto por todos los usuarios de MySpace, sus amigos o solamente uno mismo.

Nota: recuerde que en el momento de compartir imágenes es importante cuidar su reputación y la de sus amigos. Si piensa que la imagen que publica puede afectar a la opinión que otros tienen sobre usted o afectar a la imagen de sus amigos, lo mejor es no subir esa foto.

Vídeos

En MySpace podrá subir sus propios vídeos para ser almacenados en el portal. Para empezar, diríjase a la página de inicio. El recuadro que contiene su imagen de perfil contiene además los controles necesarios para subir o editar sus vídeos. En el control para **Vídeos** haga clic en **Cargar**. Será llevado a la página para cargar ficheros de vídeo a su perfil. En esa página tiene un campo para poder examinar los ficheros en su ordenador y continuar. Sin embargo, para ficheros muy grandes se le recomienda utilizar el asistente de Java para la carga de vídeos. Si tiene Java instalado, haga clic en el enlace **Dispositivo de carga de vídeos de Java** para iniciar el asistente.

Figura 8.21. Asistente de subida de vídeos

Puede almacenar en el portal tantos vídeos como quiera, con el limitante de que cada vídeo no puede sobrepasar los 500 MB. El portal además permite una amplia gama de formatos, por lo que no debiera presentarle problemas de compatibilidad de ningún tipo. Cuando haya subido el vídeo deberá describir el vídeo rellenando los campos del formulario. Finalmente, si quiere compartir el vídeo incrustándolo en su blog o mediante correo electrónico, se le suministrará el código HTML que debe pegar en el recuadro de texto o un enlace URL que dirige al vídeo para que haga uso de él.

Figura 8.22. Comparta el vídeo en su blog o por correo

Todo vídeo que quiera compartir, lo puede hacer además añadiéndolo a su perfil. Si navega entre los vídeos subidos por otros usuarios a la plataforma o los mismos que ha subido a su perfil, existe el botón **Añadir al perfil** que acompaña al mismo vídeo. Si hace clic en este botón, aparecerá el vídeo en la página de su perfil dentro de su propio recuadro. Este elemento de perfil sólo tendrá el último vídeo que ha decidido añadir. De esta manera, las personas que visiten su página verán algo distinto cada vez que decida actualizarlo.

Figura 8.23. Vídeo subido en MySpace

Música

Como se mencionó con anterioridad, MySpace da mucha importancia a los artistas, y en especial en el ámbito musical. La plataforma de MySpace ayuda a los artistas a difundir su música además de ofrecer las herramientas necesarias para generar interés y atraer oyentes. En la barra principal de navegación, haga clic en el botón de **Música**. Esto le llevará a la página principal para navegar dentro de la selección musical de MySpace, donde se destacan artistas famosos y nuevos talentos, vídeos musicales y un buscador para encontrar a su músico predilecto.

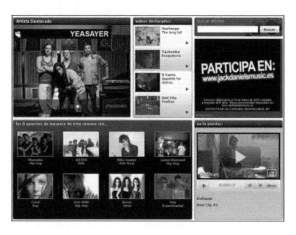

Figura 8.24. Sección de música en MySpace

Como se comentó anteriormente, los artistas tienen un perfil donde añaden un reproductor para escuchar su música. Una vez haya encontrado a su artista preferido, habiéndolo agregado o no como amigo, podrá compartir una canción agregando ésta a su perfil haciendo clic en el botón de agregar con símbolo "+". Cuando hace esto, la canción se agrega en su página personal dentro de su propio reproductor de música. Cuando alguien le visite en MySpace escuchará esta última canción agregada. Este elemento de su perfil sólo almacena la última canción agregada, aunque puede revisar el historial de canciones que ha ido escuchando.

Figura 8.25. El perfil de artista permite compartir una selección de música

8.4 PASATIEMPOS DE MYSPACE

Utilizando la red social, MySpace trata de generar un espacio para que la gente pueda navegar y divertirse. No sólo compartiendo con amigos, sino enfocando el uso de la plataforma como una televisión interactiva. Mezclando los elementos descritos anteriormente, organizaciones televisivas e independientes crean perfiles para crear espacios dedicados a series, entrevistas y conciertos. Si se aburre de navegar por estos perfiles, puede optar por pasar el tiempo con aplicaciones que le ayudan a interactuar con otros y mejoran su experiencia en la comunidad MySpace.

8.4.1 Perfiles destacados de MySpace

Muchas empresas y organizaciones se dedican a publicitarse utilizando la plataforma de MySpace como si fuese una emisora televisiva. Mucho éxito ha tenido esta aplicación de la red social, puesto que MySpace ha podido atraer la atención de bastantes celebridades. Obviamente, esto es en parte gracias a la influencia mediática que tiene su dueño, Fox Interactive Media. Cada uno de estos perfiles los puede añadir a su lista de amigos para poder hacer seguimiento de las últimas noticias y actualizaciones. A continuación se listan algunos perfiles destacados a los cuales podrá acceder mediante el menú desplegable **Más**, ubicado en la barra principal de navegación.

- **Series** (*http://es.myspace.com/navegatv*): éste es un espacio dedicado a las series televisivas en los canales emitidos por cable. Ofrece un espacio para que pueda conocer las últimas novedades televisivas además de suministrar la programación del día. Al lado de cada serie destacada encontrará el canal donde la emiten, la hora en su franja horaria y una sinopsis de la serie.

Figura 8.26. Navegue por sus series televisivas favoritas

- **Secret Show** (*http://es.myspace.com/secretshow*): este espacio se suministra para difundir conciertos y espectáculos gratis que ocurran en su localidad. Manténgase informado de los conciertos gratis que puedan tener lugar auspiciados por MySpace.

- **Sesiones MySpace** (*http://es.myspace.com/sesionesmyspace*): otro espacio similar a Secret Show. También se anuncian conciertos gratis, donde el único requisito para poder entrar es hacerse amigo de esta página e imprimir su perfil mostrando a **Sesiones MySpace** en su lista de amistades.

Figura 8.27. Sesiones MySpace

- **Soy Cinéfilo** (*http://es.myspace.com/soycinefilo*): este perfil muestra lo último del cine de Hollywood. Destacando perfiles MySpace de celebridades, críticas de cine y trailers destacados. Incluye también una sección de blog donde se ofrecen constantemente premios y oportunidades. Aproveche la posibilidad de entrar gratis al cine o ganar equipos de televisión con tan solo responder a sus preguntas.

- **Artist on Artist** (*http://es.myspace.com/artistonartistes*): espacio dedicado a las entrevistas exclusivas de artistas. La diferencia con otras entrevistas es que emparejan a distintas celebridades para poder escuchar las opiniones de uno y del otro. Muy buen perfil para pasar el tiempo escuchando a sus celebridades favoritas.

Figura 8.28. Artist on Artist

8.4.2 Aplicaciones destacadas

Las aplicaciones son ciertamente una manera muy divertida de pasar el tiempo con sus amistades. Se suministran juegos, mascotas virtuales y nuevas maneras de conocer a gente. Las aplicaciones son innovadoras al ofrecer la posibilidad de interactuar con otros usuarios que utilizan la aplicación. Esto puede ser comparando los puntajes entre usuarios o incentivar la interacción con otros para obtener recompensas.

Para empezar a instalar una aplicación, diríjase al menú **Más** en la barra superior de navegación. Al desplegar el menú, haga clic en la opción **Aplicaciones**. Esto le llevará a la página de selección de aplicaciones, donde podrá enumerar las diversas opciones que tiene por las categorías presentadas. Hay muchas aplicaciones de juegos, sin embargo, están sólo disponibles en inglés, pero se destacan por su sencillez e interfaz intuitiva, por lo que no debiera presentar mucho problema su utilización. Si tan solo quiere aplicaciones en español puede filtrar los resultados por idioma. A continuación, se muestra un listado de algunas aplicaciones que destacan en MySpace:

- **Super Pets** (*http://www.myspace.com/rockyousuperpets*): un juego muy popular es tener una mascota virtual. Cada vez que entre en su sesión, recuerde prestarle atención a su mascota. Dele un abrazo, cómprele un juguete y sáquelo a pasear. Otros usuarios verán su mascota y podrán jugar con ella. Su mascota será más feliz cuanta más gente interactúe con ella.

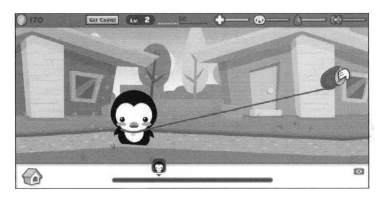

Figura 8.29. Saque a pasear a su mascota

- **Mafia Wars** (*http://www.myspace.com/zyngamafiawars*): uno de los juegos más populares de la comunidad, ¡con más de 13 millones de usuarios registrados! Empiece su propia mafia organizada invitando a sus amigos a que se unan a su familia. Consiga dinero realizando trabajos mafiosos como robar coches y bodegas, aunque necesitará comprar equipamiento y subir de nivel para realizar estas tareas. Compita con sus amistades hasta conseguir ser el capo más exitoso del crimen organizado.

Figura 8.30. Conviértase en un mafioso

- **inFlog** (*http://www.myspace.com/inflog*): algunas aplicaciones suministran funcionalidades de integración con otros sitios de redes sociales. Esta aplicación en particular puede integrar su Fotolog en un recuadro dentro de su perfil de MySpace. Tan solo introduzca el enlace Web a su perfil en Fotolog, o el de algún perfil que le guste en particular para que las fotos se muestren en su página de MySpace.

Figura 8.31. Su perfil de Fotolog en MySpace

- **Movistar Contacta** (*http://www.myspace.com/movistarcontacta*): este tipo de aplicaciones son creadas por empresas para generar servicios de fidelidad. Esta aplicación le permite enviar SMS y realizar llamadas a sus amistades de manera gratuita. Tiene un límite diario y está limitado tan sólo a Movistar España. Vale la pena seguir su rastro para aprovechar las nuevas ofertas y servicios que pueda ofrecer Movistar de esta manera.

Figura 8.32. Llamadas gratis con Movistar a través de MySpace

- **Mentes Gemelas** (*http://www.myspace.com/mentesgemelasapp*): esta aplicación está hecha para la gente que le gusta llenar los cuestionarios de cultura popular y personalidad. La diferencia es que esta aplicación mide la compatibilidad entre los diversos participantes.

Encuentre a su mente gemela respondiendo los cuestionarios que se rotan e invitando a sus amigos para que participen.

Figura 8.33. Encuentra a tu mente gemela respondiendo cuestionarios

8.5 CONCLUSIÓN

Después de haber leído este capítulo, el lector será capaz de crear su propio perfil en MySpace para luego configurarlo a su gusto con las opciones de comportamiento y de privacidad que brinda MySpace. Ha visto cómo mantener el contacto con su red social y cómo conocer a gente nueva mediante foros. Utilizando las herramientas de MySpace, ha visto como mejorar su perfil compartiendo contenidos multimedia y mejorando el aspecto y diseño.

MySpace es un lugar orientado a ayudar a los nuevos talentos artísticos a difundir su música y teatro. Los eventos auspiciados por MySpace dan a estos talentos nuevos admiradores y entretenimiento a los consumidores. Es una plataforma que ya ha demostrado su valor para poder alcanzar al público en general. Al crear su perfil, tome de los ejemplos comentados las ideas necesarias para generar un nuevo espacio promocional.

La comunidad es también un lugar para sencillamente estar entretenido. Los juegos de los que se dispone logran ser muy adictivos y obtienen una dimensión mucho más grande al involucrar a sus amistades. También se suministran funcionalidades interesantes que le ayudarán a conocer gente nueva en la comunidad. Sea cual sea su razón, MySpace ofrece una amplia gama de opciones que pueden satisfacer sus necesidades.

Capítulo 9

FOTOLOG

9.1 INTRODUCCIÓN

En un libro como éste, dedicado íntegramente a las redes sociales, es difícil pasar por alto a la que es, con toda seguridad, la más veterana de todas: Fotolog. Esta red social, pensada como plataforma para compartir imágenes y fotografías, así como sus comentarios, acaparó la atención de los más jóvenes, que vieron en ella un nuevo medio donde darse a conocer y conocer a nuevos amigos.

9.1.1 ¿Qué es Fotolog?

Durante el año 2002, Adam Seifer (alias *Cypher*), aficionado a fotografiar todos los platos de comida que consumía, y su amigo Scott Heiferman, decidieron crear una plataforma desde la cual compartir sus fotografías gratuitamente con otras personas a través de Internet. Para ello, diseñaron un sistema similar a un *blog*, en el cual los usuarios pueden colgar sus fotografías y comentar las que otros usuarios han publicado. Lo más probable es que en ese momento no fuesen conscientes de la repercusión que tendría esta nueva plataforma en Internet (superaron el millón de usuarios en el año 2005), pero habían sentado las bases para las redes sociales tal y como hoy las conocemos, ya que inmediatamente fue utilizada por miles de adolescentes para publicar sus fotografías personales con el fin de compartir y conocer a otras personas.

A pesar de que el término *fotolog* está registrado por los creadores de *fotolog.com*, se ha convertido a su vez en la denominación para este tipo de *blogs*. Se puede definir *fotolog* (llamado también *fotoblog*) como un *blog* fotográfico, es decir, una plataforma donde los usuarios publican regularmente imágenes con sus comentarios, para que éstas sean vistas y valoradas por otros miembros. Existen actualmente *fotoblogs* específicos según los intereses de sus usuarios: fotografía amateur y profesional, contactos personales y hasta galerías virtuales de arte y diseño.

Aunque pueda parecer el menos conocido, ya que no suele aparecer en los medios de comunicación, como otros de los portales sociales de este libro, el portal *fotolog.com* es ampliamente utilizado en España y en países latinoamericanos, sobre todo Chile y Brasil, contando en la actualidad con más de 28 millones de usuarios y casi 800 millones de fotografías. Otros *fotoblogs* muy populares son, por ejemplo Flickr, Picasa o Metroflog.

9.1.2 ¿Cómo es un fotoblog?

El formato de los *fotoblog* es del tipo bitácora, es decir, que las fotografías que se publican quedan enlazadas al día de publicación. Dentro de cualquier *fotoblog* encontrará:

- La imagen, imprescindible en este tipo de blogs.

- El comentario del autor.

- Los comentarios de los amigos o visitantes.

- Enlaces a otros fotoblogs de amigos.

Otra de las características de los *fotoblogs* son los grupos. Todo usuario puede publicar sus imágenes dentro de un grupo para que sean valoradas por gente que comparte interés por el mismo tema. Esto facilita que las imágenes se agrupen por categorías. Estos grupos son creados por los propios usuarios del sistema, los cuales se convierten en propietarios de ese grupo y son responsables de que se cumplan las normas de uso. Ejemplos típicos pueden ser grupos de interés en coches o motocicletas, deportes como fútbol, o algo más sencillo como comidas.

Por último, existen *fotoblogs* que tienen opciones de pago. Durante este capítulo se verá cómo crear y configurar una cuenta en *fotolog.com*, en la cual las opciones de pago lo que hacen es reducir las restricciones de uso que tiene el usuario básico. Un ejemplo de cuenta de pago es permitir subir más de una imagen al día, o poner su última fotografía en una "pasarela de fama" que será vista por todos los usuarios del sistema durante un día.

9.2 CREACIÓN DE UNA CUENTA Y PRIMEROS PASOS

En el siguiente apartado veremos primero cómo crear su cuenta en la plataforma de Fotolog. Después de llenar sus datos y una vez activada su cuenta, pasaremos a subir una foto en la plataforma.

9.2.1 Creando su cuenta de usuario

Para poder obtener una cuenta de Fotolog sólo será necesario introducir un nombre, una cuenta de correo electrónico y su fecha de nacimiento. Por su seguridad, el sistema le proporcionará un desplegable con varias preguntas, y en una de las cuales debe introducir la respuesta. Esto es útil en el caso de olvidar la contraseña, ya que se le pedirá la respuesta a la pregunta secreta para recuperar su contraseña en caso de olvido.

Nota: es importante escoger respuestas que sólo usted sabe responder. Las preguntas que da a elegir la plataforma apuntan a datos donde usualmente éste es el caso. Ha de recordar, sin embargo, no compartir esa información después con nadie.

En primer lugar, diríjase a la página principal del portal de Fotolog. Utilizando su navegador Web favorito, introduzca el siguiente URL: *http://www.fotolog.com*. Una vez abierta, haga clic con el botón izquierdo del ratón en **¡Regístrate para obtener una cuenta gratis!**

Figura 9.1. Página de Fotolog

Figura 9.2. Regístrese en Fotolog

Este enlace le lleva a un formulario que debe rellenar con sus datos y responder algunas preguntas. En este formulario encontrará los siguientes elementos a cumplimentar:

- **Nombre de usuario**: el nombre que desea usar en esta plataforma. Este nombre de usuario será usado para crear un URL personalizado que lleva directamente a su página en Fotolog. Utilice este URL para compartirlo con sus amigos.

- **Contraseña**: requiere un mínimo de seis caracteres donde por lo menos uno debe ser una letra y tener por lo menos un número. Fotolog recomienda el uso de una contraseña compleja con caracteres especiales.

- **Dirección de correo electrónico**: la cuenta de correo electrónico debe ser una cuenta activa ya que para completar el registro y validar su cuenta, el sistema le enviará un correo electrónico a dicha dirección, en el cual hay un enlace que deberá visitar para proceder a la activación y poder comenzar a subir sus imágenes.

- **Fecha de nacimiento**: se ofrecen los servicios de Fotolog sólo a personas que tengan más de 13 años de edad.

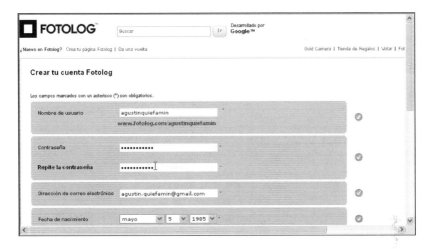

Figura 9.3. Formulario de registro

- **Pregunta de seguridad**: en la parte inferior del formulario se muestra un desplegable con una serie de preguntas personales. Esto es una medida de seguridad en el caso de que olvide su contraseña. Debe seleccionar una pregunta e introducir la respuesta. En caso de que olvide su contraseña, si hace clic en la opción **¿Olvidaste tu contraseña?**, el sistema le realizará la pregunta secreta y la comprobará con la respuesta que le haya dado durante la creación de la cuenta. Para continuar, seleccione una pregunta e introduzca la respuesta. Es muy importante que recuerde la respuesta y, a ser posible, que dicha respuesta no sea demasiado obvia, para evitar que alguien que le conozca pueda usurparle y robarle la cuenta.

- **Confirmación de código**: como medida de seguridad y a fin de que determinados programas puedan generar usuarios de forma automática en el sistema, se le solicitará que teclee las letras que aparecen en un recuadro, las cuales no son legibles mediante software.

- **Boletín informativo y publicidad**: puede aceptar dos tipos de notificaciones. Una es para el boletín informativo del portal. Aquí se le enviarán los cambios de política y noticias sobre la comunidad. La otra es por si le interesa la publicidad.

- **Acepte las condiciones de uso y políticas de privacidad**: normalmente nadie lee estas normas, pero están ahí por algún motivo. Infórmese y conozca sus derechos.

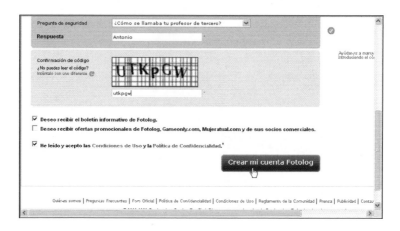

Figura 9.4. Continuación del formulario de registro

Una vez terminado el proceso, el servidor muestra un mensaje en el que le informa de que se le ha enviado un correo electrónico con un enlace en el que debe hacer clic para activar su cuenta. Mientras llega el correo, se le presenta otro formulario donde solicitan sus datos personales para complementar su perfil de usuario. Se piden datos como su nombre, apellidos, sexo, país, ciudad e idioma. Estos datos no son obligatorios, pero ayudan a relacionarse mejor con otros usuarios en la plataforma cuando comparte esta información.

Figura 9.5. Rellene su perfil con sus datos personales

Antes de poder utilizar su cuenta y poder subir fotos, debe revisar su correo para activar la cuenta de Fotolog. Revise su correo electrónico y deberá ver un correo de Fotolog dándole la bienvenida. Abra el correo y se le indicará hacer clic en el enlace de activación que le han enviado.

Figura 9.6. Active su cuenta

Cuando haga clic en el enlace, el navegador le llevará de vuelta a Fotolog y se le informará de que todo fue bien. ¡Felicidades!, ya tiene activa su cuenta en Fotolog. En este punto ya puede personalizar el resto de su perfil y proceder a publicar su primera imagen en Fotolog desde este menú.

Figura 9.7. Confirmación de activación de cuenta

9.2.2 Configurando su perfil

A continuación, verá detalladamente la configuración del perfil. Es importante que tenga presente que sin habilitar las restricciones de publicación de datos, éstos pueden quedar expuestos a todos los usuarios del sistema y por tanto sus datos estarían accesibles por terceras personas sin su control sobre ellos. Por lo tanto, y antes de rellenar los datos personales, es recomendable establecer los niveles de privacidad. Para ello, dentro de la sección **Cuenta**, haga clic en la opción **Participación y privacidad**.

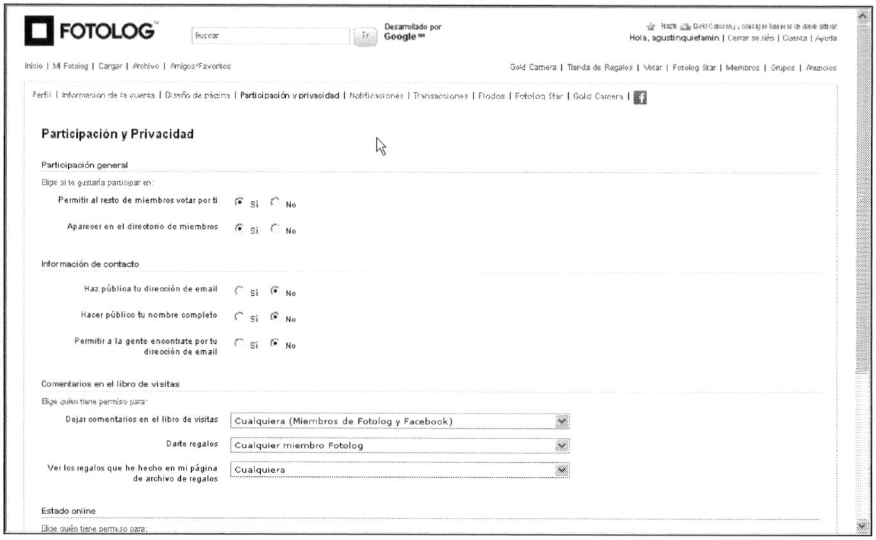

Figura 9.8. Configuración de su cuenta

Revise el estado de la información de contacto y seleccione **No** si no desea que nadie acceda a estos datos. También puede elegir si desea que otros usuarios puedan votarle, dejarle regalos o comentar en su Fotolog. Para algunas opciones existe un desplegable, el cual le permite seleccionar quién puede ver algunos detalles de su cuenta, permitiéndole seleccionar entre **Todos, Mis amigos** o **Nadie.** De estas opciones, se destaca su **Estado online**. Con esta opción puede seleccionar quién sabrá si está conectado al sistema. La opción más recomendable es que sólo sus amigos le vean.

Una vez configuradas las opciones de visibilidad, proceda a rellenar los datos personales que desee en la opción **Perfil**. Aquí podrá introducir gran cantidad de información personal como su nombre, sus aficiones y demás intereses. También podrá asociar una imagen a su perfil.

En la siguiente sección de **Información de la cuenta** puede realizar las tareas administrativas como el cambio de contraseña de su usuario, cambio de dirección de correo y consultar la cuenta de correo que puede usar para subir fotografías.

Si en algún momento decide que desea eliminar su perfil, Fotolog le proporciona la posibilidad de eliminar su perfil. Para ello, en la pestaña de

Información de la cuenta, en la parte inferior de la página, hay un botón que le permite dar de baja su Fotolog. Este proceso le solicitará varias confirmaciones, ya que es imposible recuperar su cuenta una vez borrada.

9.2.3 Publique una fotografía

Una vez que tiene su cuenta activa, el siguiente paso es publicar su primera imagen. Diríjase a la página de inicio y encontrará el botón **Sube una foto**, que resalta entre todos los elementos de la página.

Figura 9.9. Suba una foto mediante este botón

Cuando haga clic en este botón, será llevado a la página con el asistente de publicación. El sistema le solicitará el fichero que desea subir, así como un título y un comentario para esa imagen. Si en el perfil de su cuenta ha introducido las cámaras que tiene, elija de la lista con cuál de ellas tomó la foto. Para que pueda subir el fichero es necesario poner la contraseña en la parte inferior.

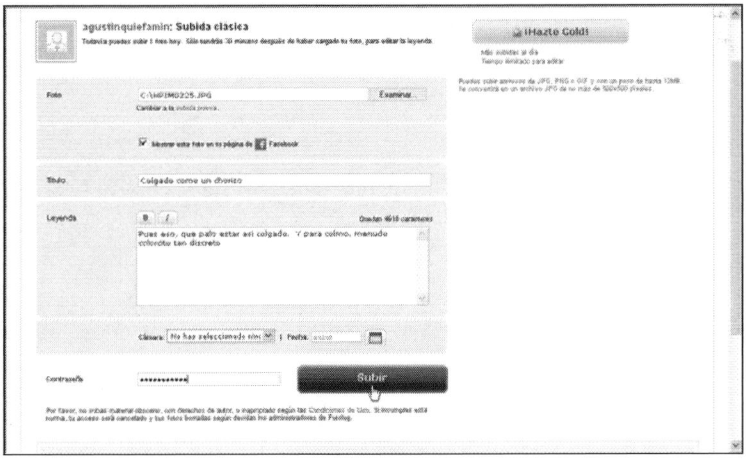

Figura 9.10. Asistente de publicación

Para publicar las fotografías, éstas deben tener la extensión .jpg, .png o .gif y tener un tamaño menor a 12 MB. Estas fotografías se convertirán en imágenes como máximo de 500 por 500 píxeles. El proceso de conversión es automático, por lo que lo único que debe revisar es que el tamaño de su archivo no exceda de los 12 MB.

> **Nota**: no tiene por qué entrar a Fotolog para subir una imagen. En el menú superior, haga clic en **Cuenta** y luego en **Información de la cuenta**. Aquí encontrará la opción de habilitar una cuenta de correo para subir fotos. Utilice esta opción para enviar la foto directamente desde su dispositivo móvil. El tema del correo será el título y el cuerpo del mensaje será la descripción. La imagen debe ser menor de 8 MB, adjunte ésta al correo y envíelo.

Otro punto a destacar es una casilla de verificación que le pregunta si quiere publicar la imagen en su cuenta de Facebook. Si esta casilla está marcada, cuando se haga clic en el botón **Subir** se abrirá una ventana emergente en la cual se solicitará el login para Facebook. Éste es un buen método de integración para aquellos usuarios avanzados que tienen múltiples cuentas de redes sociales.

9.2.4 Elimine una foto de su página

Por último, es posible que desee eliminar alguna imagen. Para ello debe hacer clic en la opción **Editar** en la parte inferior de la imagen. Esto abre un menú desde el cual puede modificar el comentario de la fotografía (sólo durante los 30 minutos posteriores a su publicación si no es usuario **Gold**), o borrarla de forma permanente. Tenga en cuenta que una vez borrada una imagen se pierden todos los datos asociados a ella, como comentarios y estadísticas.

Figura 9.11. Elimine fotos de su cuenta

9.3 INTERACTUANDO CON LA COMUNIDAD

Toda red social se caracteriza por la comunidad que la compone. La gente usuaria de las redes sociales se destaca por su afán de querer compartir una opinión o ser parte de un debate social. Se destaca por demostrar intereses y por juntarse con otros que comparten las mismas ideas. El siguiente apartado se enfoca a los métodos principales de comunicación dentro de Fotolog.

9.3.1 Grupos

Además de publicar sus fotografías en su propio espacio personal, existe la posibilidad de hacerlo en un grupo. En el menú de navegación de la página, haga clic en el enlace **Grupos** para ser dirigido al espacio dedicado a la categorización y creación de grupos. Un grupo en Fotolog es un espacio donde se comparten imágenes de interés común. Los grupos suelen crearse por aficiones o intereses comunes como pueden ser coches deportivos, animales exóticos o juegos divertidos.

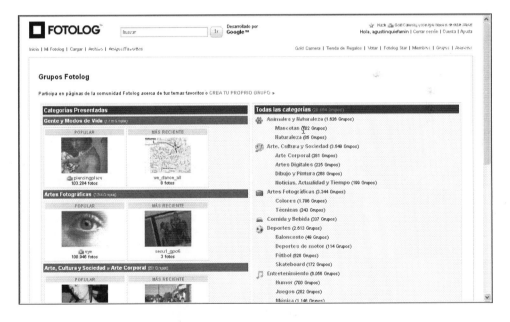

Figura 9.12. Página de grupos

Todos los grupos están divididos en categorías, de forma que le resultará muy fácil localizar el grupo que le interese. En la parte izquierda de esta página podrá encontrar sugerencias de los grupos más activos y recientes. Puede dirigirse directamente a uno de éstos o bien hacer clic sobre el enlace de cualquier categoría, donde se le presentará un listado de los grupos existentes con su respectiva descripción.

Al ver el listado de grupos y leer sus descripciones, se dará cuenta de que varios publican normas de uso común. Esto incluye no publicar material ofensivo o con derechos de autor, por ejemplo. También verá otros grupos con normas particulares como instrucciones específicas de publicar fotos sin mostrar la cara, o de solamente un objeto en particular. Dichas normas son establecidas por el creador del grupo y tiene el poder de borrar las fotos que no se atengan a las normas establecidas.

Figura 9.13. Página de un grupo para fotos de mascotas

Los grupos permiten suscripciones que permiten ver en su propio Fotolog las últimas fotografías agregadas del grupo elegido. Si desea suscribirse a un grupo, tan solo tiene que hacer clic en el enlace **Agregar a amigos/favoritos**, que aparece en la página del grupo mismo.

Si es miembro básico de Fotolog, tan sólo puede subir una fotografía diaria mediante el uso de su página personal. Sin embargo, en los grupos puede subir tantas fotografías como desee y sin limitaciones (salvo las que imponga cada grupo). El único limitante es que las imágenes publicadas en los grupos no pueden ser eliminadas ni editadas salvo por el propietario del grupo mismo.

Figura 9.14. En su página, los grupos suscritos aparecen a la derecha

9.3.2 El libro de visitas

El libro de visitas es la funcionalidad de Fotolog que permite relacionarse con otros usuarios. A través del libro de visitas en el Fotolog de otro usuario, deje su opinión y sus comentarios sobre la imagen publicada. Por defecto, estos comentarios pueden dejarlos todos los usuarios de la comunidad, aunque es posible limitar que sólo puedan dejar comentarios los amigos. Si no le parece bien algún comentario que se ha hecho, existe la posibilidad de borrar mensajes o de bloquear al usuario que dejó dicho comentario. Existen también los comentarios privados, que pueden ser vistos solamente por la persona que lo emite y la que lo recibe, quedando ocultos para el resto de los usuarios.

Los usuarios básicos pueden recibir 50 comentarios por foto en su libro de visitas, mientras que los usuarios Gold pueden recibir hasta 200 comentarios por imagen. Además, los usuarios Gold tienen una funcionalidad extra llamada **Última palabra** que les permite dejar un comentario aunque el libro de visitas esté lleno.

Figura 9.15. Los comentarios en su Fotolog

9.4 OPCIONES GOLD

Compartir las fotos está muy bien para los usuarios normales que sencillamente quieren pasarlo bien. Sin embargo, para los usuarios avanzados que requieran menos restricciones o para la gente que quiere obtener esos codiciados clics en su página, tienen opciones de pago que ofrecen interesantes beneficios. En el siguiente apartado se mostrarán algunas de éstas.

9.4.1 Fotolog Star

En el menú principal de navegación, diríjase a la sección de **Fotolog Star**. Aquí encontrará la posibilidad de darse a conocer a todo el mundo que visite el portal de Fotolog su fotografía, una manera de mostrar a una inmensa comunidad de usuarios la última fotografía que haya subido a su Fotolog personal. El funcionamiento es similar al de una pasarela de moda: en la parte inferior de la página aparecen, de forma aleatoria, las imágenes de las personas que han abonado el pago de este servicio durante las siguientes 24 horas.

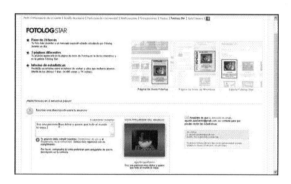

Figura 9.16. Incluya su imagen en Fotolog Star

De forma automática, el sistema le mostrará la última imagen subida a su perfil y le solicitará que introduzca un breve comentario que acompañe la imagen. En la parte inferior de la página se le mostrarán las formas de pago, donde tiene la opción de pagar mediante Paypal o enviando un SMS desde su móvil. Una vez realizado el pago, recibirá un correo en el que se le confirma que su imagen va a ser publicada en **Fotolog Star**. A partir de ese momento, y durante 24 horas, su imagen aparecerá en la página principal de forma aleatoria, y en forma de viñeta si accede a la sección de **Fotolog Star**.

Nota: tenga presente que si después de activar el servicio de **Fotolog Star** decide publicar una nueva imagen mientras el servicio esté activo, la imagen subida reemplazará a la anterior. Tenga esto presente para evitar que la foto que desea que esté en la pasarela no sea sustituida por otra.

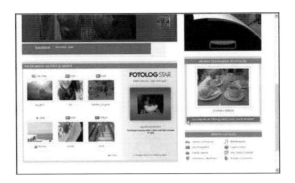

Figura 9.17. Vista de imagen en Fotolog Star

9.4.2 Gold Camera

En el menú principal de navegación, diríjase a la sección de **Gold Camera**. Aquí encontrará esta funcionalidad de pago que amplía las funcionalidades básicas del usuario. Todas estas ventajas se pueden ver en el apartado correspondiente del menú de **Gold Camera**, siendo las más destacables la posibilidad de subir hasta 6 fotografías diarias, aumentar el número de comentarios que se pueden tener y la funcionalidad de **Última palabra**, que permite dejar un comentario a una imagen que ya ha completado su cupo de comentarios. La siguiente imagen muestra las diferencias entre una cuenta de pago y otra básica.

Función Fotolog	Miembro Básico	Miembro Gold Camera
Crear una página Fotolog	✓	✓
Fotos subidas al día	1	6
Comentarios en los libros de vistas por foto	50	200
Banner personalizado en tu página Fotolog	✗	✓
Imagen de fondo para tu página Fotolog	✗	✓
La "última palabra" en los libros de visitas	✗	✓
Sin anuncios en tu página Fotolog	✗	✓
Foto en miniatura en tus mensajes a los libros de visitas	✗	✓
Estadísticas (páginas vistas, subidas, comentarios y más)	✗	✓
Mosaico de Amigos/Favoritos	✗	✓
Prioridad en atención al cliente	✗	✓
Borrar y volver a subir una foto	30 minutos	24 horas
Editar tu leyenda	30 minutos	Todo el tiempo que quieras

Figura 9.18. Diferencias entre una cuenta básica y miembros Gold Camera

Como podrá apreciar, existe una amplia variedad de razones para darse de alta con esta cuenta de usuario Gold. Las opciones para darse de alta y realizar el pago son: desde 1 semana a un año con posibilidad de pago por SMS, tarjeta o Paypal.

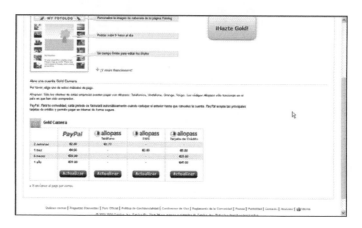

Figura 9.19. Menú con las opciones de pago

9.4.3 Transacciones y Flodos

Dentro del portal existe una moneda virtual que permite realizar acciones que no son posibles ni siquiera para las cuentas Gold. Para estas acciones se utilizan los **Flodos**. Éstos se pueden comprar desde el menú **Cuenta**, en el apartado de **Flodos**. Esta moneda virtual permite que el usuario pueda realizar regalos virtuales a otros miembros de Fotolog, así como votar a sus favoritos. Para la compra, al igual que otras transacciones, existen varias opciones de pago.

Figura 9.20. Compre Flodos

La utilización de Flodos evoluciona dentro del portal, pero la mejor utilización que se le puede dar es la de permitir votar a usuarios. En el menú de la parte superior derecha aparece la opción de **votar**, en la cual puede votar a sus usuarios favoritos. Para poder emitir un voto debe tener **Flodos** en su cuenta, ya que cada voto vale 2 de ellos. Las votaciones están separadas en 3 pestañas, pudiendo ver los más votados en los últimos 7 días, los últimos 60 días y los más votados en general. Por supuesto, si usted quiere que su propia fama suba, está permitido que se vote a sí mismo. De esta manera puede lograr atraer la atención de la gente a su propio Fotolog o a los de sus amigos.

> **Nota**: un detalle importante para que pueda ser votado es que debe tener habilitada la opción en su perfil para permitir que otros voten su página. Al lado de su nombre de usuario, haga clic en **Cuenta** y diríjase a la sección de **Participación y privacidad** para habilitar esta opción.

9.5 CONCLUSIÓN

En este capítulo ha aprendido cómo crear su cuenta en la comunidad de Fotolog para subir fotos a su página personal. Ha aprendido cómo interactuar en la comunidad mediante el libro de visitas y ha aprendido las limitaciones de una cuenta básica. Se le ha presentado, sin embargo, la manera de sobrepasar esas restricciones mediante las opciones de pago que mejoran su experiencia y amplían sus posibilidades de interactuar en esta comunidad. Se ha remarcado lo importante de manejar con sentido común y en su beneficio personal las funcionalidades de privacidad de su perfil que siempre pueden ser activadas y mejor dicho deben ser activadas.

Fotolog es una comunidad muy dinámica y veterana. Su funcionalidad es sencilla y algunos lo prefieren por esta misma razón, la facilidad de uso. Utilice los servicios de este portal para conocer a gente nueva o bien publicítese en Internet accediendo a una cantidad gigantesca de usuarios. Y ante todo, siempre recuerde que una imagen vale más que mil palabras.

Capítulo 10

MENÉAME

10.1 INTRODUCCIÓN

En este capítulo aprenderá a utilizar *meneame.net*, un sitio dedicado a la publicación de enlaces a historias, noticias, comentarios, etc., que está orientado a la comunidad de usuarios, y son los propios usuarios los que determinan si un enlace es suficientemente interesante como para ser publicado.

10.1.1 Sindicación Web de noticias

Según la Wikipedia, la sindicación Web de noticias tiene por definición: *"Redifusión Web (o sindicación web) es el reenvío o reemisión de contenidos desde una fuente original (sitio web de origen) hasta otro sitio web de destino (receptor) que a su vez se convierte en emisor puesto que pone a disposición de sus usuarios los contenidos a los que en un principio sólo podían tener acceso los usuarios del sitio web de origen."*

En términos prácticos, la sindicación nos permite que desde un único punto (Web receptor) se obtenga un resumen de las noticias, comentarios, etc., de múltiples sitios (Webs de origen). De forma que si una de las noticias le resulta interesante a un usuario, se pueda ir al sitio original para obtener todo el contenido.

10.1.2 ¿Qué es meneame.net?

En este capítulo se tratará sobre un servicio de redistribución de noticias, esto es, un sistema donde vamos a poder ver las noticias que se van generando diariamente en diversos medios, tanto servicios de noticias habituales (periódicos tradicionales, on-line, etc.), blogs, y otros servicios de publicación de contenidos. En definitiva, un sistema donde se pueden compartir aquellos contenidos que le han sido de interés, y de esta forma ponerlos a disposición de la comunidad.

Meneame.net nació en el año 2005 creada por Ricardo Galli y Benjamí Villoslada en un intento de dotar a la comunidad hispana de un sistema parecido a Digg (*http://es.wikipedia.org/wiki/Digg*).

10.2 CREACIÓN DE UNA CUENTA Y PRIMEROS PASOS

Para poder enviar enlaces, escribir comentarios y votar, es necesario realizar un registro en el sistema, es decir, disponer de una cuenta en Menéame. El proceso de registro es muy sencillo, se irá comentando paso a paso el procedimiento que se debe seguir para la generación de la cuenta. Así mismo, comentar que se podrán definir varios aspectos en su perfil de usuario.

10.2.1 Registrándose en el portal

Una vez que haya escrito en su navegador la dirección *http://meneame.net*, aparecerá en portada el portal.

Figura 10.1. Página de inicio en meneame.net

Donde en la parte superior dispondrá del enlace **registrarse** que, al hacer clic sobre él, mostrará la página de registro de usuario, donde deben ser introducidos los datos solicitados de manera que se pueda generar de manera correcta la correspondiente cuenta.

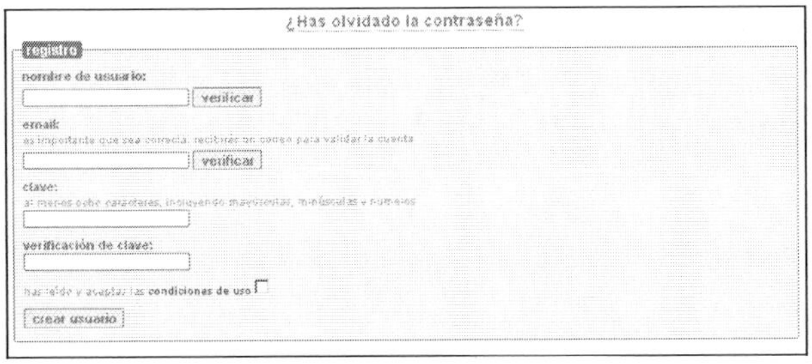

Figura 10.2. Página de registro

Se deben rellenar los campos con los datos correspondientes. Si observa el botón **verificar** a la derecha del campo **nombre de usuario** y **email**, haciendo clic sobre él podrá realizar una comprobación para ver si ese nombre elegido está o no utilizado por otro usuario registrado en Menéame, y también se podrá verificar si la dirección de email es válida.

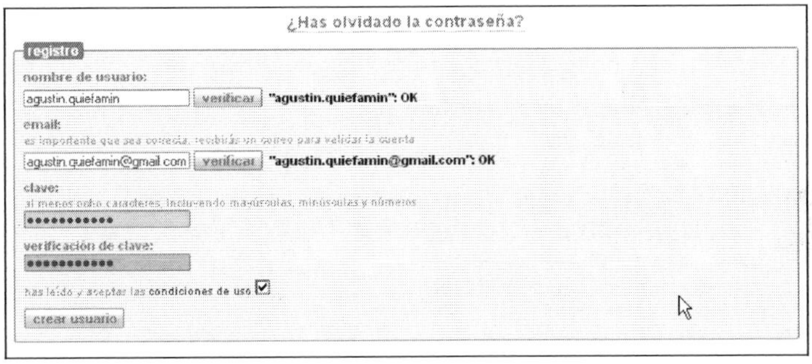

Figura 10.3. Verificando la validez del registro de usuario

Una vez leídas y aceptadas las condiciones de uso, haga clic sobre el botón **crear usuario** y aparecerá una pantalla *anti.robots* donde tendrá que escribir las dos palabras que aparecen en el recuadro.

Figura 10.4. Validación CAPCHA, sistema anti-robots

Al igual que en otros sitios enfocados a usuarios en Internet, como son por ejemplo los foros, el sistema enviará a la dirección de correo suministrada por el usuario un correo electrónico de confirmación del registro.

Figura 10.5. Envío de correo para la confirmación del registro

A continuación, en el buzón de entrada de su correo electrónico verá el correo enviado por meneame.net.

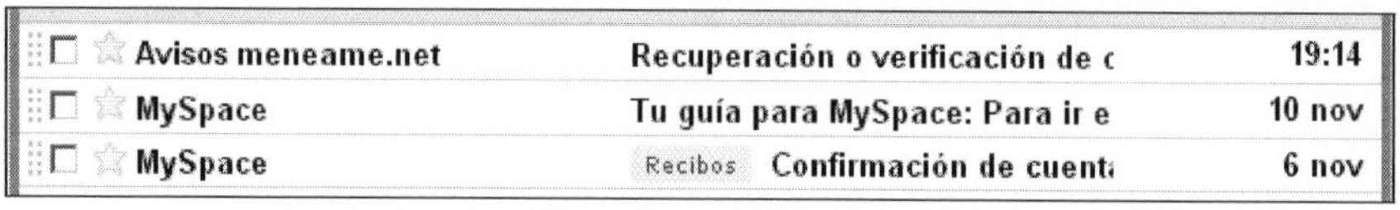

☐ ☆ **Avisos meneame.net**	Recuperación o verificación de c	19:14
☐ ☆ **MySpace**	Tu guía para MySpace: Para ir e	10 nov
☐ ☆ **MySpace**	Recibos Confirmación de cuent:	6 nov

Figura 10.6. Buzón de entrada con el correo de confirmación

El contenido del correo electrónico incluirá un enlace con el cual, al hacer clic con el ratón sobre él, le reenviará a la página de confirmación de su registro de usuario.

Figura 10.7. Correo con el enlace para confirmar el registro

Para completar el proceso, haga clic sobre el enlace y se le mostrará su perfil de usuario.

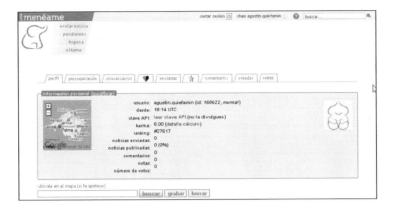

Figura 10.8. Perfil de usuario

10.2.2 Configurando su perfil de usuario

Dentro de la configuración de su perfil dispone de diversos enlaces, además, podrá configurar su ubicación geográfica. A continuación se describen las funcionalidades que aportan cada una de las pestañas disponibles.

- **Perfil:** desde aquí puede modificar sus datos personales haciendo clic en **información personal [modificar]**. También se puede establecer la situación geográfica introduciéndola en **ubícate en el mapa (si te apetece).**

- **Personalización:** en esta parte se pueden establecer los filtros de las categorías de las noticias que le aparecerán.

- **Conversación:** en esta sección puede ver los comentarios que realizan otros usuarios sobre sus noticias o sobre sus comentarios. Cuando otro usuario de Menéame se refiera a usted en su comentario, le aparecerá precisamente aquí.

- **Amigos e ignorados:** es el listado de aquéllos que le han agregado como amigo, también de aquéllos que le han agregado como ignorado.

- **Enviadas:** lista de todas las noticias que ha enviado como usuario.

- **Favoritos:** puede marcar aquellas noticias que le hayan interesado como "favorita", y aquí aparece un listado con ellas.

- **Comentarios:** al igual que en la pestaña de **Enviadas**, aquí se dispone de la lista de todos los comentarios que ha realizado.

- **Votadas:** lista de las noticias que ha votado.

- **Notas:** es un cuaderno de notas públicas, más adelante en este capítulo se tratará con más detalle esta sección.

10.2.3 Empiece a menear

Nota: el término "menear" significa dar el voto a una noticia que considera de interés.

Cuando se accede a la portada de Menéame se encontrará con tres secciones:

- **Portada:** es la sección principal. Aquí se verán reflejadas aquellas noticias que se han considerado suficientemente interesantes para la mayoría de la comunidad. Como usuario puede establecer un filtro por aquellas categorías que le interesen.

- **Populares:** en esta sección se pueden ver las noticias que han recibido más votos. Como usuario puede establecer un filtro entre las últimas 24 horas, 48 horas, una semana, un mes, un año o entre todas las noticias.

- **Menear pendientes:** en esta sección se pueden ver las noticias que aún no tienen los suficientes votos para aparecer en la portada. Al igual que en la sección de la portada, como usuario puede menear las que considere de interés y realizar comentarios a las noticias.

Al publicar una noticia, ésta aparece de la siguiente forma, donde a continuación se describen el significado de cada una de las secciones que puede ver:

Figura 10.9. Estructura de una noticia

- **Meneos:** nos indica el número de votos que ha recibido la noticia.

- **Menéalo:** mediante esta opción el usuario puede votar por la noticia.

- **Título:** título de la noticia.

- **Enlace original:** indica la fuente original de la noticia.

- **Resumen:** un breve resumen del contenido.

- **Comentarios:** el número de comentarios realizados a la noticia.

- **Categorías:** categoría a la que pertenece la noticia.

- **Karma:** indicador del karma de la noticia.

Para menear una noticia que considere de interés debe hacer clic sobre el botón **menéalo**, que cambiará a **¡chachi!** cuando lo haya hecho.

> **Nota:** en el menú principal dispone de una opción denominada **fisgona** que tiene doble funcionalidad, por un lado es un chat, donde podrá solicitar ayuda o simplemente charlar con otros usuarios, y por otro lado podrá ver la actividad de *meneame.net* en tiempo real.

10.2.4 Sistema de comentarios

Es muy interesante que antes de menear se haga clic sobre los comentarios, de esta forma se podrá ver qué opinan los demás usuarios sobre la noticia en cuestión. Como usuario puede decidir realizar un comentario incluso aunque no menee la noticia, para realizar este comentario, una vez se haya hecho clic sobre **comentarios** diríjase al final de la página y aparecerá un recuadro de texto donde escribir.

Figura 10.10. Escribir un comentario

Una vez haya completado su comentario, haga clic en el botón **enviar el comentario** y éste aparecerá publicado.

Nota: si se desea hacer referencia a un comentario de otro usuario, puede escribir el número del comentario precedido del símbolo "#".

Ejemplo:

#4 Estoy de acuerdo con tu comentario, sin embargo...

Si desea referirse al resumen o al usuario que envió la noticia, hágalo con "*#0*".

A la hora de escribir dentro de Menéame se deben seguir una serie de normas de etiqueta. A continuación se detallan algunas:

- No utilizar insultos ni descalificaciones hacia otros usuarios. Ha de tener en cuenta que es un sitio colaborativo y hay muchas personas detrás del mismo que pueden no tener su misma opinión.

- Sea positivo a la hora de realizar una crítica.

- Nunca utilice las mayúsculas para escribir el texto. En Internet y cómo no en Menéame, el uso de mayúsculas se éntenderá como que está gritando.

- Escriba correctamente, procurando no tener faltas de ortografía, en caso contrario, obtendrá comentarios negativos sobre este aspecto.

- No realice publicidad ni comentarios fuera del tema.

Otra de las interesantes características de Menéame es la posibilidad de votar los comentarios de otros usuarios, tanto positiva como negativamente. Esto lo puede ver al observar los comentarios de otros usuarios tal y como se ve en la siguiente figura.

Figura 10.11. Comentario de un usuario

Se describen los diferentes elementos que componen un comentario:

- **#1:** número del comentario. Es un número secuencial, el #0 hace referencia a la propia noticia/resumen.

- **Texto:** el texto del comentario.

- **Flecha arriba:** votar positivamente el comentario.

- **Flecha abajo:** votar negativamente el comentario.

- **Votos:** número de votos que tiene el comentario.

- **Karma:** karma del comentario.

- **Autor:** autor y hora del comentario.

Si el comentario del usuario le resulta interesante, vótelo positivamente haciendo clic sobre la **flecha arriba**. Si, por el contrario, le resulta ofensivo o fuera del tema, vótelo negativamente haciendo clic sobre la **flecha abajo**.

Si observa una noticia con muchos comentarios, puede llegar a observar que existen comentarios de diferentes colores, incluso comentarios que se debe hacer clic para verlos. Esto es así en función de los votos positivos o negativos recibidos por la noticia. Si un comentario recibe múltiples votos negativos, éste se considera inadecuado, por lo tanto no aparece inicialmente, deberá hacer clic para visualizarlo, si por el contrario recibe suficientes votos positivos aparecerá resaltado.

10.3 COMPARTIENDO CON LA COMUNIDAD

Hasta el momento se ha aprendido cómo ver, votar y opinar sobre las noticias que han enviado otros usuarios. Ahora es el momento de participar de forma activa en la comunidad mediante el envío de noticias como usuario de Menéame.

10.3.1 Publique una noticia

A la hora de publicar un enlace a una noticia que se considere de interés, se deben seguir una serie de normas que se detallarán a continuación.

- Antes de enviar una noticia debe comprobar mediante la opción **buscar...** que aparece en el área superior derecha de la página principal de Menéame que la noticia que va a enviar no se encuentra ya publicada, de lo contrario obtendrá votos negativos por "duplicada".

- Debe haber meneado al menos 20 noticias existentes antes de poder publicar.

- No debe enviar noticias con contenido claramente publicitario.

- No debe enviar exclusivamente noticias de su propio blog, ya que de lo contrario los demás usuarios lo tratarán de "Autobombo".

- El resumen de la noticia debe reflejar lo más posible el contenido de ésta, incluso una pequeña porción de la noticia. No redacte su propio contenido en el resumen, si desea comentar su propia noticia, hágalo agregando un comentario.

- Si una noticia aparece en un sitio Web, pero es una copia de otro sitio Web, envíe siempre el enlace al contenido original.

- Si la noticia está redactada en un idioma distinto al castellano, agregue al final del título el código del idioma, por ejemplo si la noticia está en inglés agregue "[eng]".

Para enviar una noticia que considere de interés, debe hacer clic sobre el enlace **enviar noticia** que aparece en la parte superior izquierda de la Web de Menéame y será suficiente con seguir tres sencillos pasos.

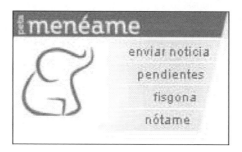

Figura 10.12. Menú principal de Menéame

El proceso de envío de noticias consta de tres sencillos pasos, en el primero se debe escribir el enlace de la noticia, en el segundo se deberá indicar los datos del enlace como el título, que normalmente es el mismo que la noticia a enviar, un pequeño resumen, donde se debe evitar escribir opiniones, las palabras clave para ayudar en las búsquedas de las noticias y las categorías a las que pertenece. Por último, se debe confirmar el envío del enlace.

El primer paso a seguir se puede ver en la siguiente pantalla, donde se debe poner el enlace que se desea agregar. Si el enlace está enviado por otro usuario, el sistema informará de ello al pulsar el botón **continuar**.

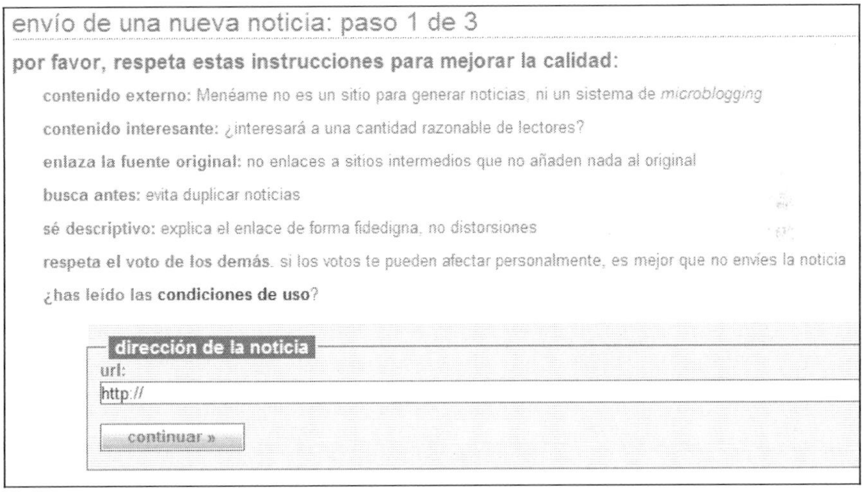

envío de una nueva noticia: paso 1 de 3

por favor, **respeta estas instrucciones para mejorar la calidad:**

contenido externo: Menéame no es un sitio para generar noticias, ni un sistema de *microblogging*

contenido interesante: ¿interesará a una cantidad razonable de lectores?

enlaza la fuente original: no enlaces a sitios intermedios que no añaden nada al original

busca antes: evita duplicar noticias

sé descriptivo: explica el enlace de forma fidedigna, no distorsiones

respeta el voto de los demás. si los votos te pueden afectar personalmente, es mejor que no envíes la noticia

¿has leído las **condiciones de uso**?

dirección de la noticia

url:

http://

continuar »

Figura 10.13. Envío de una nueva noticia, paso 1

También, si no se cumple el requisito del número mínimo de votos para poder enviar la noticia, se le informará y le indicará cuaátos votos le faltan para cumplir el requisito.

⚠

¿es la primera vez que envías una noticia?
necesitas como mínimo 8 votos
no votes de forma apresurada, penaliza el karma
haz clic aquí para ir a votar

Figura 10.14. Es necesario haber votado al menos 20 noticias

Si se cumplen los requisitos, en la siguiente pantalla que aparece deberá escribir el título, el resumen de la noticia, escribir las palabras clave para indexar el enlace y seleccionar las categorías.

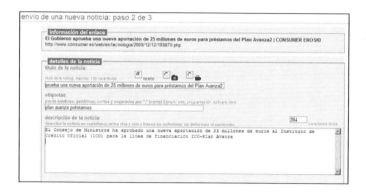

Figura 10.15. Envío de una nueva noticia, paso 2

Ahora seleccione las categorías a las que pertenece el enlace (la noticia).

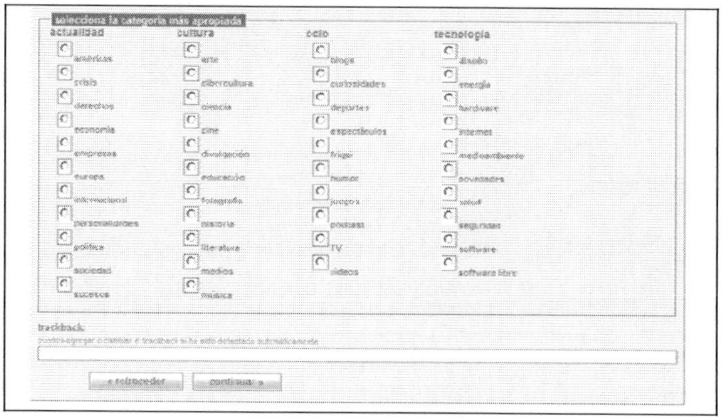

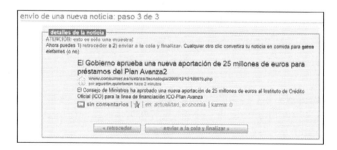

Figura 10.16. Categorías para la noticia

Y por último, tan solo deberá confirmar el envío del enlace (la noticia) haciendo clic sobre el botón **enviar a la cola y finalizar**.

Figura 10.17. Envío de una nueva noticia, paso 3

Una vez realizados estos sencillos pasos, su noticia aparecerá publicada en la sección **menear pendientes**, con un voto (el suyo) y el karma asignado. El enlace ya estará listo para que otros usuarios lo voten y lo comenten.

Nota: su noticia no aparecerá en la **portada** inicialmente, sino que únicamente aparecerá en **menear pendientes**. Para que su noticia llegue a la **portada**, es necesario que reciba al menos 5 votos, además debe alcanzar un umbral de karma. Este umbral se determina según el karma de los últimos enlaces publicados, es decir, no es un número específico, sino que varía en función de la actividad de meneame.net.

10.3.2 Establezca buen karma

A lo largo de este capítulo ha aparecido el término "karma" en varias ocasiones y ahora comprenderá su importancia dentro de Menéame.

---

karma.

(Del sánscr. karma, hecho, acción).

1. m. En algunas religiones de la India, energía derivada de los actos que condiciona cada una de las sucesivas reencarnaciones, hasta que se alcanza la perfección.

2. m. En otras creencias, fuerza espiritual.

Fuente: Real Academia Española

Dentro de Menéame, el karma es un valor que varía de 1 a 20. Cada usuario tiene un valor de karma, que es 6 en el momento de registrarse. Ese valor irá variando en función de los enlaces y comentarios que envíe. Por ejemplo, si envía una noticia y ésta recibe votos positivos su karma aumentará, sin embargo, si recibe votos negativos, su karma disminuirá. Se podría decir que el karma es la credibilidad de un usuario dentro de Menéame.

Anteriormente ha visto que para que una noticia llegue a la portada era necesario que tuviera un número determinado de votos. Bien, esto es así hasta cierto punto. Realmente el valor que determina qué noticias llegan a la portada es el karma de la noticia.

Cuando publique una noticia, los usuarios la votan, si el voto es positivo el valor de karma que se agrega a la noticia se calcula multiplicando el número de votos por el valor del karma del usuario del voto. Además, es necesario que la noticia tenga al menos 5 votos.

> **Nota:** el umbral de karma para la publicación de una noticia en la portada varía continuamente, y está calculado en función del karma medio de las noticias publicadas en las últimas dos semanas, así como en el tiempo transcurrido desde la publicación de la última noticia. La ecuación es compleja y se sale de la temática del libro, si desea más información puede consultarla en la página *http://www.meneame.net/faq-es.php*.

Los valores mínimos de karma para realizar determinadas acciones dentro de Menéame son los siguientes:

- Karma mínimo para votar negativo las noticias: 5,9

- Karma mínimo para votar los comentarios: 6,01

- Karma mínimo para "fisgonear": 5,5

- Karma mínimo para realizar envíos: 5,8

- Karma mínimo para enviar nótames: 6,01

- Karma mínimo para comentar: 5,31

- Karma mínimo para editar comentarios: 6,01

Las reglas básicas que afectan al aumento y disminución del karma son:

Aumenta el karma:

- Votos positivos a sus noticias enviadas.

- Votos positivos a noticias que han sido publicadas, siempre que el voto haya sido realizado antes de la publicación en portada de la noticia.

- Votos negativos a noticias que han sido descartadas, siempre que el voto haya sido realizado en los 15 minutos siguientes al envío de la noticia.

- Votos positivos a sus comentarios.

   Disminuye el karma:

- Votos negativos a sus noticias enviadas.

- Votos positivos a noticias que no han sido publicadas en portada, a partir de las 24 horas del voto.

- Votos negativos a noticias que no han sido descartadas, a partir de las 6 horas del voto y hasta pasadas 30 horas.

- Llevar 5 días sin votar al menos 4 noticias.

- Votar negativamente más de 3 noticias en menos de un minuto.

- Votos negativos a sus comentarios.

- Votos negativos a un comentario de forma injusta.

   No afecta al karma:

- Votos positivos a noticias que ya han sido publicadas.

- Votos negativos a noticias descartadas si éstos se han realizado una hora después del envío de la noticia.

- Votos positivos a comentarios.

Para evitar abusos en la publicación de noticias, continuamente se están desarrollando nuevos métodos para el cálculo del karma. Por ejemplo se ha introducido en el sistema un método para evitar la "endogamia de votos", es decir, aquellos usuarios que publican una noticia y avisan a sus amigos para que la voten y así alcanzar la portada.

10.3.3 Nótame

Nótame es un servicio que le permitirá enviar notas cortas al servidor. Estas notas son públicas y cualquiera puede leerlas. Cada nota tiene un límite de 500 caracteres y pueden tratar cualquier tema, siempre respetando las normas generales de Menéame.

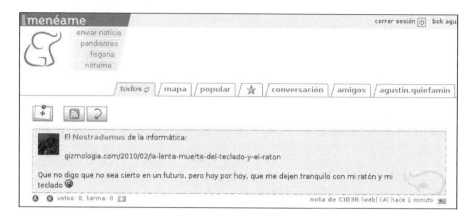

Figura 10.18. Nótame

Las secciones principales de nótame son:

- **todos:** aquí tenemos todas las notas enviadas por los usuarios.

- **mapa:** un mapa que nos indica desde dónde se han enviado las notas de las últimas 24 horas.

- **popular:** las notas más populares.

- **favoritas:** notas que usted ha marcado como favoritas.

- **conversación:** los comentarios realizados a sus notas.

- **amigos:** comentarios de sus amigos.

- **personal:** lista con todas sus notas.

Al igual que con los comentarios, las notas también pueden ser votadas y así aumentar o disminuir su karma, sin embargo, el valor que se gana o pierde es 5 veces inferior a los votos sobre los comentarios.

Para enviar una nota se dispone de varias posibilidades:

- Desde el menú principal con la opción **nótame.**

- Desde un cliente *Jabber.*

- Mediante un SMS.

Para enviar una nueva nota, debe hacer clic en el icono **insertar una nota** y le aparecerá un recuadro donde poder escribir su nota.

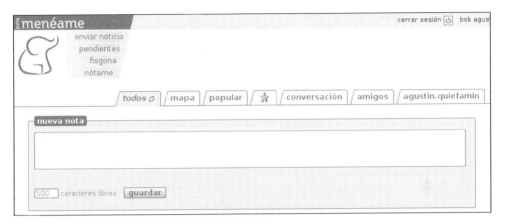

Figura 10.19. Enviando una nota

Ahora puede escribir su nota, dispone de un contador inverso que le indica cuantos caracteres le quedan disponibles para su nota. Si desea referirse a un usuario en concreto, anteponga el símbolo "@" al nombre, por ejemplo: @agustin.quiefamin.

Una vez terminada la nota, haga clic en el botón **guardar** y su nota se publicará en el sistema. Puede modificar su nota en cualquier momento siempre que no haya pasado una hora desde su publicación, y no es posible eliminar sus notas una vez publicadas, únicamente los administradores por motivos de incumplimiento de normas pueden hacerlo.

Para enviar una nota al sistema mediante SMS, debe hacerlo enviando al 5195 con la palabra clave **nota** antes de su texto, aunque a la hora de escribir este libro el servicio no estaba disponible temporalmente.

> **Nota:** Jabber es un sistema de mensajería instantánea similar a Microsoft Messenger. Es el sistema utilizado por Google Talk.

10.4 CONCLUSIONES

En este capítulo se ha aprendido sobre el sistema de sindicación/redifusión Web de noticias, donde desde un único punto tendrá a su disposición cientos de noticias de diversas fuentes, pudiendo leer un resumen de las mismas y ampliar la información desde el origen de la noticia.

El lector también ha aprendido cómo compartir con la comunidad aquellas noticias que le resultan interesantes, pudiendo establecer un debate mediante los comentarios.

Menéame es una herramienta muy útil para estar continuamente informado y diversos medios de comunicación lo utilizan como fuente de contenidos para sus espacios. Así mismo, es una potente herramienta de difusión de sus contenidos, ya que si su blog llega a la portada obtendrá sin duda una gran notoriedad.

No hace demasiado tiempo apareció una noticia en un foro de Internet que alguien publicó en Menéame. Al llegar a la portada, varias televisiones se hicieron eco de la noticia y apareció en diversos telediarios.

Nota: efecto Menéame, así se conoce el efecto producido por la aparición en la portada de Menéame de una noticia. El Web que aloja el contenido original de la noticia empieza a experimentar un notable aumento de visitantes. Inicialmente serán unos pocos, aquéllos que entran para valorar la noticia para votarla posteriormente, pero si la noticia llega a portada, el incremento puede llegar a colapsar el servidor Web que contiene la noticia original.

También se puede llegar a notar un incremento en el número de suscriptores/lectores de su blog.

ÍNDICE ALFABÉTICO

A

Abv....................................134
Akash Garg 127
Álbum.................................62
Amigos/favoritos....................220
Anonimato.....................18, 21, 22
Añadir amigos 92
Aplicaciones seguras.................81
Audiencia....17, 18, 23, 24, 27, 37, 45, 48, 51, 64, 70, 95, 115, 127, 132, 133, 137, 151, 177, 189, 190
Autobombo............................236
Avatar animado 130
Avatar personalizado.................130
AVI 42

B

Bit.ly...............................124
Blog.....16, 17, 18, 19, 23, 24, 30, 34, 41, 88, 89, 104, 109, 115, 124, 151, 152, 153, 154, 155, 156, 157, 158, 159, 160, 162, 164, 165, 166, 167, 168, 169, 170, 171, 172, 173, 174, 175, 176, 177, 199, 203, 209, 236, 244
Blogger....................110, 152, 153
Blogging...................151, 152, 153
Blogosfera.....................152, 159
Bloguero.............................152
Bloqueados......................95, 133
Bol..................................134

Bubome...............................146
Buscar amigos...................72, 74, 75
Búsquedas de usuarios...............101
Buzz.................................159

C

Cabecera............................174
Calendario.......................98, 99
Canal.....24, 27, 33, 34, 35, 36, 37, 39, 40, 41, 42, 43, 44, 47, 48, 202
Captcha..............................52
Categorías....34, 120, 138, 142, 146, 159, 166, 187, 196, 204, 210, 219, 231, 232, 237, 238
Celebridades...... 110, 111, 121, 136, 202, 203

Ch

Chat...16, 18, 44, 45, 73, 74, 75 77, 92, 99, 100, 133, 195

C

Cinéfilo 203
Classmates 20
Código de verificación..............183
Comentario 18, 19, 24, 29, 37, 39, 44, 46, 47, 48, 50, 62, 69, 70, 79, 88, 89, 90, 97, 98, 102, 103, 107, 132, 133, 145, 147, 168, 169, 190, 191, 194, 195, 196, 209, 210,

217, 218, 221, 222, 223, 227, 228, 231, 232, 233, 234, 235, 236, 239, 241, 242, 244
Compartiendo información 108
Comscore 127
Condiciones de uso 83
Condiciones del servicio 154
Configuración de las aplicaciones..............83
Confirmación...55, 56, 73, 94, 143, 144, 167, 183, 230
Contador de visitas...............................89, 96
Contenidos...19, 23, 28, 29, 30, 31, 33, 37, 46, 48, 58, 67, 69, 108, 157, 179, 180, 185, 190, 207, 227, 228, 244
Conversación...47, 99, 100, 101, 190, 194, 196, 242
Creación de cuenta 51, 182
Crear álbumes 69, 88
Crear evento 99
Crear un grupo 79
Crear una lista 75
Credenciales...58
Credibilidad...239
CSS 25, 190
Cuentas vinculadas...................................57

D

Datos personales......................................103
Denunciar correo no deseado 76
Desactivar cuenta 58, 96
Digg...19, 228
Dinero 24, 81, 99, 205
Duplicada 236

E

Editar lista 75
El muro...................50, 66, 67, 72, 79, 80
Entradas...175
Enviadas..................................240, 241, 242
Estado de ánimo 66, 131, 192
Etiquetas..43, 176

F

Famoso...............................23, 27, 34, 37, 87
Favoritos.... 19, 47, 48, 94, 120, 159, 224, 225
Feed..40, 41
Filtro..148, 232
Fives...132

Flash............................28, 29, 54, 55, 62, 143
Flickr.................................110, 124, 210
Flodos...224
Followers 112
Followings 112
Formulario....32, 33, 43, 52, 67, 69, 73, 74, 79, 90, 92, 93, 99, 104, 105, 113, 128, 137, 181, 182, 188, 199, 212, 213, 214
Foto principal............89, 93, 95, 97, 102, 103
Fotoblog...209, 210
Fotos bloqueadas......................................96
Friendster 20

G

Gadgets 151, 160, 170, 176
Galli..228
Gmail....33, 39, 40, 73, 113, 132, 134, 153, 183
Gold Camera..223
Google16, 19, 20, 28, 30, 33, 39, 41, 43, 65, 110, 121, 151, 152, 153, 180, 183

H

Hashtag 120, 121, 122
Hi5 networks, inc.....................................127
Historial 23, 37, 58, 66, 114, 118, 123, 201
Historial de mensajes 58, 114, 118, 123
Hollywood 15, 46, 203
Hosting..30
Hotmail 73, 134, 184
Html 25, 161, 164, 171, 172, 187, 199

I

Ig 134
Importar la lista 74
Información personal 63, 103
Información pública............................54, 102
Información sensible................................108
Instinto 148, 149
Integración 22, 24, 115, 206, 218
Interfaz privada 89, 92
Interfaz pública 89, 93
Internacional 31, 51, 137, 180
Invitaciones...............................72, 90, 96